W7-CGD-224
Sammlung
D0150382

Über dieses Buch: Drei Geschichten über den Geschlechtertausch – was zunächst als unverbindliche, gesellschaftsferne, abseitige Spielerei erscheinen mag, gewinnt bei genauerem Hinsehen die Dimension eines sozialen Experiments von beträchtlicher Tragweite. Wird doch hier etwas in Frage gestellt, ver-rückt, auf den Kopf gestellt, das uns allen als das vielleicht Festeste, Selbstverständlichste auf der Welt gilt: unsere geschlechtliche Identität. Soweit wir uns zurückerinnern können in unseren längeren oder kürzeren Leben – unser Geschlecht begegnet uns immer als bereits fixiert, vorgegeben, unabänderlich, ja auch vom »Bedürfnis« nach Veränderung strikt ausgenommen. Oder doch nicht?
Die drei Geschichten von Sarah Kirsch, Christa Wolf und Irmtraud Morgner weigern sich, eine solche Unabänderlichkeit anzuerkennen. Sie lösen, fabulierend, die Geschlechtsfixierungen und das nicht nur biologische, sondern auch gesellschaftliche Koordinatensystem, das sie geschaffen hat, versuchsweise auf: ein sehr bewußt veranstaltetes, folgenreiches Lehrstück zum Thema Frauenemanzipation.
Wolfgang Emmerich

Über die Autorinnen: Sarah Kirsch, geb. 1935, Lyrikerin und Erzählerin, verließ die DDR 1977, lebt jetzt als freischaffende Autorin in Schleswig-Holstein.
Irmtraud Morgner, geb. 1933, lebte bis zu ihrem Tod 1990 als freischaffende Autorin in Berlin/DDR. Ihr erzählerisches Werk liegt in der Sammlung Luchterhand vor.
Christa Wolf, geb. 1929, lebt in Berlin. In Ausgaben der Sammlung Luchterhand liegt ihr erzählerisches Werk sowie der größte Teil ihrer essayistischen Arbeiten vor.
Wolfgang Emmerich (Nachwort), geb. 1941, Professor für Neuere Deutsche Literaturgeschichte an der Universität Bremen. In der Sammlung Luchterhand erschien: »Kleine Literaturgeschichte der DDR« (SL 801).

Sarah Kirsch
Irmtraud Morgner
Christa Wolf

Geschlechtertausch

Drei Geschichten über die Umwandlung der Verhältnisse

Mit einem Nachwort von Wolfgang Emmerich

Luchterhand Literaturverlag

Der Titel dieses Bandes, *Geschlechtertausch*, ist gleichzeitig der Titel einer Erzählung Günter de Bruyns, die wie die hier versammelten Geschichten von Sarah Kirsch, Irmtraud Morgner und Christa Wolf für die 1975 im Hinstorff Verlag, Rostock, erschienene Anthologie *Blitz aus heiterm Himmel* geschrieben wurde.
Die gute Botschaft der Valeska in 73 Strophen von Irmtraud Morgner ist Teil ihres Romans *Leben und Abenteuer der Trobadora Beatriz* (1974).

Originalausgabe
Sammlung Luchterhand, Oktober 1980
Luchterhand Literaturverlag GmbH, Frankfurt am Main. Mit freundlicher Genehmigung Sarah Kirschs und des Aufbau-Verlages, Berlin und Weimar. Umschlagentwurf: Max Bartholl. Satz und Druck: Druck- und Verlags-Gesellschaft mbH, Darmstadt. Bindung: Wagner, Nördlingen.
Printed in Germany.
ISBN 3-630-61315-2

12 13 14 15 95 94 93 92 91

Sarah Kirsch

Blitz aus heiterm Himmel

Ist ein Ereignis ein Ereignis, wenn es keinen Schatten vorauswirft, keine entscheidenden Spuren zurückläßt und, statistisch betrachtet, weit außerhalb des Feldes zu verzeichnen ist, so daß es den Mittelwert in keiner Weise modifiziert?
Katharina arbeitete in der Forschungsabteilung eines großen Werkes und galt als tüchtige Kraft. Sie war von der Natur mit einem angenehmen Äußeren, großer Zähigkeit des Körpers und des Geistes sowie einem der Fröhlichkeit verpflichteten Naturell ausgestattet. Kehrte sie nach dieser oder jener Überstunde aus dem Betrieb in ihre abgeschlossene Zweizimmerwohnung zurück, in deren Besitz sie durch einen glücklichen Umstand gelangt war, gewann sie der aufgelaufenen täglichen Hausarbeit, den lästigen Kettenvorgängen ewig sich neu gebärenden Waschens und Putzens vergnügliche Seiten ab. Von Berufs wegen trainiert, auch bei scheinbar willkürlichen Erscheinungen Gesetzmäßigkeiten festzustellen, war ihr eines Tages das Klammerspiel eingefallen, dem frönte sie unterm Dach. Es gab feste Regeln. Sie stellte Wäscheeimer und Klammerkorb auf den alten Küchenstuhl, die Leine hing noch. Blindlings (sie schloß wirklich die Augen) ergriff sie ein Wäschestück und zwei Klammern. Befestigte das auf der Leine, hob wieder Wäsche empor, hatte die Klammern in der Hand, spreizte sie auf die Wäsche und Leine, wiederholte alles, bis die Wäsche in drei Reihen sie umgab und der Eimer leer war. Sie goß das Restwasser (wird schon nich durchkomm) auf den Bodenboden. Besah ihr Werk und nahm die Auswertung vor. Im Korb hatten sich Klammern verschiedener Farben in gleicher Anzahl befunden. Bei den Wäschestücken galten die Farben nicht, Hauptmerkmal war die Form. Es gab Hemden, Höschen, Strümpfe, kaum Unterröcke, viele Pullover, einige Blusen,

Taschentücher, BHs normaler Größe. Die Abfolge der Wäschestücke und Klammern, zufällig entstanden, ließ nun Gesetzmäßigkeiten erkennen. Blau Höschen blau, blau Strumpf, blau Höschen blau, rosa Pullover weiß, weiß Pullover rosa, blau Taschentuch (warum die Blaun immer gleich alle sint un Grüne bleim übrich), blau Bluse blau. Sie konnte schon ein Muster erkennen, vielleicht wurde es sogar eine Serie. Weitersehen und kombinieren. Ein ordentlicher Mensch, noch dazu weiblichen Geschlechts, hängt doch so keine Wäsche auf, die wird nach Arten verteilt, wie das weiland mit Pflanzen und Tieren vorexerziert wurde. Wie sieht das aus, ein einzelner Strumpf zwischen den Höschen. Sie stellte den Wäscheeimer des Staubs wegen kopf. Je größer die Abstände zwischen den einzelnen Waschvorgängen, desto größer der Wäscheberg, desto größer der Wahrheitsgehalt der Aussagen über Wahrscheinlichkeit und Zufall (von wegen Schlampe, diß is wissenschaftliche Arbeit, Frau Schpiller). Sie verschloß die Bodentür, das war Vorschrift, die Treppe führte sie hinab. An den Fensterbrettern standen blasse Gewächse und renkten sich nach der Sonne manch ein Blatt aus. Auf jedem Podest, wie die Treppenabsätze hier hießen, befand sich ein Stuhl, dem es an Farbe gebrach, da setzten die alten Weiblein die Taschen ab und regulierten den Atem. Die Treppe, die Wohnung befanden sich im Seitengebäude eines alten Hauses. Und wenn die Bauherrn auch weniger Sorgfalt für die Treppe im Seitenflügel als für die im Vorderhaus aufgewandt hatten, so ließen der schöne Schnitt der Zimmer, die hohen feierlichen Türen, die tiefreichenden Fenster Katharina darüber hinwegsehen. Ihre Zimmer befanden sich in unterschiedlicher Höhe, ein paar Stufen verbanden sie, die kleine Treppe war gleichsam der dritte möblierte Raum. Sie hatte für

einen Blumenstrauß Platz, die Kochbücher, ein Rauchzeug, Strohmatten zum Draufsetzen, das Nähzeug, einen Taschenkalender.
Im tieferen Zimmer, dem Küchen-, Eß- und Arbeitsraum, es gab hier ein Reißbrett, fand Katharina noch ein paar Wäschestücke im Spülwasser. Unterwäsche von der männlichen Art. Vorm Fenster war eine Leine gespannt. Raus mit der Wäsche. Sie war nicht verheiratet und hißte die Fahnen die Unterhose das Unterhemd: Kunde für die Hausbewohner: Beimiristallesinordnung. Ichbinnichtallein. Er war unterwegs, ließ die Schnauze des Lasters an weißen Strichen entlangschnurren und erlebte wunderbare Geschichten. Sie ging in das höhere Zimmer. Es hieß Schlaf-, Trink-, Musik- und Bibliotheksraum und beherbergte die dazu notwendigen Möbel und Geräte in gefälliger Anordnung. Katharina zog den Staubsauger unter der Couch hervor und begann den Teppich zu säubern. Für ihren Haushalt hatte sie wiederholt Systeme erdacht, die Langeweile bei den einzelnen Arbeitsgängen zu unterdrücken. Es existierten Pläne, neben dem Ordnungschaffen ersten Grades jeden Tag eine größere Anstrengung in Angriff und in Kauf zu nehmen, damit die Arbeit ihr nicht über den Kopf wüchse und sie eines Tages ein Großreinemachwochenende einschieben müßte. Unterbrochen sollten Bodenarbeiten, Staubwischen, Geschirrspülen, das Ordnen der Bücher von einer Schallplatte, einer Zigarette, der Zeitung, einer Knobelaufgabe, einem Glas Cola werden. Dieser Stufenplan hatte sich aber als in der Praxis nicht durchführbar erwiesen. Es traten fortwährend Störungen ein, die sie veranlaßten, wieder nur das Notwendigste zu tun. Zum Beispiel Albert. Er kam nach fünf Tagen Chaussee, badete und stand den sechsten gar nicht erst auf. Wenn Katharina aus dem Werk zurückkehrte, lag

er auf dem Erbsofa im tieferen Zimmer und klagte, er sei völlig verhungert. Er hatte geschlafen und gelesen, war nicht bis zum Kühlschrank gekommen, hatte nichts gehabt außer dem Frühstück und gewartet auf sie. Sie kochte und räumte gleichzeitig auf, und je nachdem, ob sie sich im höheren oder tieferen Zimmer befand, beschrieb er rufend oder mit normaler Stimme Landschaften, durch die er gerollt war. Denn er fuhr nicht schlechthin auf Chausseen und untergeordneten Landstraßen vielmehr durch Urstromtäler, unruhige wirre Hügelländer, machte ne Fuffzehn auf einer zauberhaften Endmoräne und sammelte in verlassenen Steinbrüchen petrographische Souvenirs. Katharina hob alle auf und legte sie zu anderen Quarzen, Graniten und Versteinerungen auf die Fensterbretter. Wenn ein Stein herunterfiel, bückte sie sich nicht danach, sondern schob ihn mit der Fußspitze unter irgendein Möbel, um ihn anderntags wegzuwerfen. So kam es, daß in ihren Fensterbrettern immer Platz für Alberts Steine war. Er gliederte die Landschaften nun feiner, belebte sie mit Leuten, die er unterwegs in ihnen getroffen hatte. Katharina genoß alles wie eine Theateraufführung und trieb ihn durch gezielte Fragen zu immer präziseren Schilderungen. Sie aßen und redeten, sie schliefen, wurden wach, sprachen über Gott und die Welt zwischen großen Umarmungen. Das ging den Abend, die halbe Nacht, wenn Freitag war, den Sonnabend, den Sonntag. Dann war er fort. Berge Geschirrs, die Spuren seiner Zähne auf ihren Armen und große Müdigkeit ließen sie mit Rührung wohl an ihn denken.

Sie polierte sein Bild. Es stand im Bücherregal vor den Werken Stendhal Über die Liebe und Charles de Bono In fünfzehn Tagen Denken lernen. Es handelte sich um keine

lichtbildnerische Arbeit, sondern um einen Farbdruck auf flexiblem Karton, eine Skatkarte, Herzkönig. »Brauch man nich so oft wechseln«, hatte sie Albert erklärt, was ihn veranlaßte, seinen Namenszug deutlich über das Bild zu setzen. Der König sah sie mild aus seinen vier Augen an. Sie ließ sich auf den Stufen nieder. Die Rauchpause, die Schallplatte, Zäsuren während der Hausarbeit. Free Jazz, das entsprach ihrer Schufterei. Vor dem größeren Fenster flogen die Federn, Grünfinken zankten sich. (Zahlt sich nich aus, im Sommer füttern. Der Frisör unten sacht, die scheißn den Damen noch aufn Kopp.) Katharina stellte den Aschenbecher ins Fenster. Die Finken flogen auf den Baum nebenan.
Sie ging in die Küche und ließ Wasser in das Spülbecken laufen. Alberts Teller mit den weißen Knöchlein blickte sie an, er hatte eine Pyramide gebaut. Einstmals war das ein Huhn gewesen, dann ein Gericht. Ein andalusisches knuspriges Huhn hatte sie damals im Feuer gehabt, als Albert sich anläßlich eines Staatsfeiertags und der damit anfallenden Freizeit dreier Tage (manchmal liegt das so günstig) bei ihr festgefahren hatte. Das war drei Jahre her. An jenem Maitag zauberte er ihr die neuen Fünfmarkstükke aus dem Ausschnitt, und sie hatte diesen kurzweiligen Burschen als günstige Übergangslösung betrachtetet, bis sie eines Tages einen ernsthaften Menschen gefunden haben würde. Alberts Neigung für Katharina wurde eine Dauergabe, und sie verwarf erleichtert ihre Vorstellung vom Leben mit einem ordentlichen Menschen. Sie lachten über ihre beiderseitige Versessenheit und entdeckten viele der möglichen Kombinationen. Oft gab es den freien Fall, er nannte das Schwerelosigkeit. Im letzten Winter, als die Stadt einzuschneien drohte und Albert Überstunden bei

ihr abbummelte, hatten sie den Quotienten O' berechnet. O' drückt nach folgender Formel den Grad der beiderseitigen höchsten Empfindung aus:

$$O' = \frac{\Sigma O_f 1 \ldots n}{\Sigma O_m 1 \ldots n}$$

O_f bezeichnet die weibliche, O_m die männliche Akme, n ist die Anzahl der Wiederholungen. Der tristeste Fall wäre O' = Null. Der günstigste Fall O' = 1, d. h., die Freude der Beteiligten ist identisch. O' sagt nichts aus über die Anzahl der Wiederholungen; der Quotient kann durchaus n = 1 sein (der sog. CGS). Katharina und Albert erzielten n = 4 bis 7 bei einer Streubreite O' von ± 0,005 um 1. Aber die Liebe könnte schwinden, fürchtete Katharina mitunter. Im Bett wäre Albert noch zu ersetzen gewesen, durch ein Kollektiv ganz bestimmt, aber der Freundschaft würde sie nachtrauern müssen. Denn diese pflegen, während er mit einer anderen schliefe, ginge ihr über die Kräfte. Jetzt, wenn sie sich trafen, fühlten die sich wie zwei von den vier Winden, die um die Welt geflogen waren.
Katharina lag am Boden. Niemals steckte er den Stecker des Fernsehers nach dem Rasieren wieder in die Steckdose unter dem Sofa. Sie sah seine riesigen Latschen aus Stroh, es gelang ihr, sich seine Füße vorzustellen, sie war mit allem einverstanden. Sie wusch sich, sie aß und las eine Zeitschrift; verwandelte schließlich die Couch im oberen Zimmer in das Bett, legte sich hinein und löste vor dem Einschlafen folgendes Problem: Vier schwarzhaarige Männer und drei blonde Männer beglücken in fünf Tagen ihre Mädchen so oft wie drei schwarzhaarige Männer und fünf Blonde in vier Tagen. Wer erfreute die Mädchen mehr, die schwarzhaarigen oder die blonden Männer?

Wind blies ins offene Fenster, die Röllchen des Vorhangs scharrten auf der Schiene, da wurde sie wach. Sie fühlte sich gut diesen Tag. Sie schaltete das Radio ein, erwartete die Zeitansage, statt dessen wurde ein katholischer Gottesdienst übertragen. Eine Predigt zu einem sechsten Sonntag nach Trinitatis. Im Haus war es still. Der Vorhang scharrte, bog sich zur Seite. Die Sonne schien nicht mehr ins Fenster, Katharina mußte verschlafen haben. Die Hortensien in den Blumentöpfen waren verwelkt. Die Gemeinde im Transistorradio schepperte, von der Orgel getrieben, danach übersetzte der Radiopfarrer oder sein Bruder das Datum aus der Kirchensprache in die normale. Es war wirklich Sonntag, und es folgten die Nachrichten. Weg mit der Decke. Sie sah sich in ihrem weißen Dederonnachthemd, dem knöchellangen, jetzt schön drapierten, und sie schrie, die Stimme rauh, wie sie glaubte: vor Bestürzung und Unglauben.
Da lag sie, Katharina Sprengel, fünfundzwanzig Jahre alt, in ihrem Nachthemd, in ihrem Bett, hatte drei Tage hintereinander geschlafen, und ihr Körper wies die männlichen Merkmale auf. Sie sah es wie im Film. Schon einmal war ihr ein Film wirklicher als die Wirklichkeit erschienen. Sie hatte ihren Körper sitzen gelassen und sich den Leuten auf der Leinwand zur Verfügung gestellt. Dieser Effekt trat auf, als der deutsche Text kunstlos einem ausländischen Film eingesprochen wurde. Aber sie saß nicht im Kino. »Verfluchte Untat, das ziehtn Rattenschwanz nach sich; son Ding!« sagte sie mit einer tiefen Frauenstimme, einer hellen Männerstimme. Sie zog energisch das Nachthemd aus. Die Hautfarbe erschien dunkler als gewöhnlich, sonst war alles ganz gut geraten, obwohls ihr um das Holz vorm Haus etwas leid war. Wie eine Schlange, die sich gehäutet hat, betrachtete sie argwöh-

nisch die Unterwäsche auf dem Stuhl mit dem Bedürfnis, sich davon zu entfernen. Warf alles in den Schrank. Trotzdem war sie ganz fröhlich, ihr gefiel plötzlich die Fähigkeit, sich neuen Situationen schnell anzupassen; darüber hatte sie sich früher geärgert und des Wankelmuts bezichtigt. »Passiert ist passiert«, sang sie und ging ins Badezimmer. Langjährige Angewohnheiten schienen in diesem Falle nichts mehr zu gelten. Während sie vorher die Brause immer zuerst auf den Bauch gerichtet hatte und dann zu anderen Partien übergegangen war, traf ihn nun das Wasser zwischen die Schultern. Aber das stellte er gar nicht fest. Sein Blick fiel auf Alberts enormen Bademantel, und sein Herz sprang wie ein Ei im kochenden Wasser. Albert, mein Gott! Früher hätte sie einfach losgeheult: Schluß mit der Liebe, kein Platz an seinem Hals! Nun vertraute er auf Alberts Gerechtigkeitssinn, seine Geistesgegenwart in bedenklichen Situationen. Furcht und Beklommenheit verließen ihn, und das Wohlbehagen, mit dem er erwacht war, stellte sich wieder ein. Er hatte ihr so oft geholfen und sie so oft verstanden, das ging auf keine Kuhhaut. Egal, was aus ihnen würde, die Freundschaft könnte nun kein Mensch mehr kaputtmachen. Trübungen ihres Einverständnisses durch eine Frau waren unmöglich geworden, und sie brauchten sich niemals schonende Unwahrheiten zu sagen. Er wickelte sich in das Badelaken und sah in den Spiegel. Das Gesicht war noch das Katharinas, etwas schmaler anscheinend; der Anflug eines Bartes. Er warf böse Blicke auf all den Plunder, Haarspangen, Wässerchen, Lidschatten, Eyeliner. Da das nachweislich sein Besitz war, genierte ihn das Zeug, andererseits waren die Utensilien schwer zu beschaffen und teuer gewesen. (Ich hau das innen Müll, unt übermorgen binnich wieder ne Dame!) Wenn man sich in solch einer wunderlichen

Lage befindet, sucht man nach Beispielen. Wer will schon ein Einzelfall sein. Sollte bei ausländischen Gewichtheberinnen sich nicht ähnliches ereignet haben? Gab es nicht bei den Olympiaden Kontrollen für die Athletinnen? Vielleicht nur Gerüchte. Im alten Griechenland soll derartiges vorgekommen sein. Die Veränderung wurde von den Göttern besorgt: aus Männern machten sie alte Frauen. Sollte er das Opfer verzögerter ausgleichender Gerechtigkeit geworden sein? Er holte sich Wodka aus dem Küchenschrank und dachte erneut an Albert. (Der wirt ja nich wieder, immer mittem Laster unterweks, da rüttelt sich was zusamm, unt ich, ich schteh da unt sach: nun siehe du zu!) Das Badetuch kam auf den Haken, und der junge Mann nahm das Turnhemd und die Unterhose von der Leine vorm Fenster. Pfeifend zog er beides an und schlug den Sofakissen die Kerben fort. Andere Tischdecken mußten her, weniger bunt. Und er begann am Küchentisch eine Liste von den Dingen anzufertigen, welche die neue Situation so dringend erforderte. Randgenähte Schuhe, Schlafanzüge, eine Lederjacke, Strümpfe, Unterwäsche, Zigarillos, Pullover, einen anderen Lampenschirm. Am besten eine andere Wohnung. Und wie auf Arbeit! Er sah eine Unmenge Probleme: Formulare und Erklärungen würde er abgeben müssen, der Personalausweis müßte ärztlich geändert werden; welchen Vornamen würde er führen? Wer gab ihm den? Er lief in seinem Zimmer herum veränderte die Anordnung der Möbel (paar rechte Winkel müssen rein anschtatt dieser Kurwen) und begann laut zu schimpfen. Dabei bemerkte er, daß ihn die zu erwartenden Scherereien und Unannehmlichkeiten in Wut versetzten, der Gedanke an eine mögliche Rückverwandlung ihm aber noch widerlicher war. (Ich bin so wiech jetz bin, ich habn orntlichen Beruf, ich beschtell mir ein Auto, ich lerne Schkat, gleich tretich außm De-Eff-De aus.) Er riß alle Fenster auf, schaltete das Fernsehgerät ein und setzte sich breitbeinig davor in den Sessel; aß Brot und Wurst aus der Hand, ließ die Möbel vorläufig herumstehen: Fußball, es war ja schon Nachmittag. Das war ein Phänomen, jetzt interessierte ihn die Situation auf dem Bildschirm. Ein schöner Sport! Die Regeln sind genügend kompliziert, um Abwechslung zu bieten, und einfach genug, daß jedermann Fachmann ist. Und wenn Katharina auch zuletzt als Halbwüchsige ein bißchen gebebbelt hatte und bisher ohne innere Haltung zu dieser Sportart ausgekommen war, sich auf keinerlei Erfahrungen und anerzogene Freude an diesem Spiel berufen konnte: ihm war plötzlich gegenwärtig, was sie sich im Lauf der drei Jahre aus Alberts Mund darüber hatte anhören müssen; um Verständnis bemüht, ohne eigentlichen Spaß. Die Auswechslung war vielleicht ein Griff in die Glückskiste! Gosch zog einen Freistoß fast von der Seitenlinie herein, und Körner vollendete mit dem Kopf! Er saß allein in der Küche und schrie ein lautes langgezogenes »Jaaaah!« auf den Bildschirm. Später sah er sich alle Spiele an, die übertragen wurden. Dabei ging er von Zeit zu Zeit in den Zimmern umher, hatte Spaß am Gehen: nun trafen zuerst die Fersen auf den Boden. Er sah auch die zusammenfassenden Sportberichte am Abend und war endlich rechtschaffen müde. Albert war ausgeblieben. Es kam vor, daß er nicht zur verabredeten Zeit eintraf, allerhand unvorhergesehenes Zeug passierte; das würde später Anlaß zu Geschichten und geringfügigen Übertreibungen geben. Kommt er nachts, oder morgen. Der junge Mann nahm sich vor, am anderen Tag nicht in das Werk zu gehen. Er wollte warten und mit Albert reden. (Ohne den machich jetz nischt.) Er schlief auf dem Sofa, stellte sich zwei

Wecker; die zog er sorgfältig auf. (Drei Tage schlafich nich nochmal.) Er wollte vor dem Einschlafen über seinen Namen nachdenken, Albert würde ihn doch nur Max taufen, aber so schlecht war das nicht.
Also Max. Er schlief zwei Stunden; der Laster hustete vorm Haus; Albert knallte die Tür; der schlief schon fast auf der Treppe, Max machte die Tür auf. Max im Trainingsanzug, oben nicht gewölbt, wer weiß, ob Albert das sieht. Max kann nicht ewig im Trainingsanzug herumlaufen und Albert ein Bier einschenken und Albert das Bett baun. Albert hatte so viel erlebt von der Hauptstadt bis Pasewalk und zurück und dann bis nach Ellrich. Er hatte an diesem Tage mit einem Achsenbruch in einer wenig befahrenen Gegend festgelegen. Albert war hundemüde. Er sagte: »Ich muß erst mal schlafen!«

Sie schliefen bis in den hellen Tag. Die Grünfinken zankten sich. Max wurde wach, als eine Stimme »Frau Spengler! Frau Spengler!« rief. Aha, die Kohlen. Daran hatte er nicht mehr gedacht. (Son Kwatsch, vielleicht zieh ich aus!) Albert kam aus dem höheren Zimmer und stieg auf der kleinen Treppe in seine alten Jeans. »Ich geh schon runter«, sagte er, »gib mir mal den Schlüssel.« Vorher hatte Katharina immer dann Kohlen bekommen, wenn Alberts Auto die Nase auf den Landstraßen hatte. Oder Albert versprach: Die schippe ich am Nachmittag in den Keller (die Kohlenmänner hatten erklärt: Stapeln und so, der Zug is weg). Aber letzten Endes hatte Katharina die Kohlen doch allein in den Keller gebracht. Albert mußte ein Fußballpokalspiel im Fernsehen sehen, oder er hatte, während sie beim Bäcker war, einen Anruf bekommen, der ihn eher als vermutet fortrief. Max nahm Alberts Rasierapparat. Er bemühte sich, einen günstigen Winkel

vom Scherkopf zu seiner unteren Gesichtshälfte zu finden. (Verdammich, das nu jeden Tach. Ich laß mir keine Kottletten waxen.) Er legte den Kopf in den Nacken und schob die Unterlippe zwischen die Zähne, sah geradeaus, zog die Oberlippe straff und in die Breite. Er stellte keine großen Ansprüche an seine Arbeit und beendete sie. Die Steckdose unter dem Sofa kam ihm unbequem vor. Als er sich mit Kölnischwasser das Kinn einrieb, wie ers beim Fernsehen erfahren hatte, schimpfte er. Dann zog er seinen Trainingsanzug über und ging in den Hof.
Die Kohlenfahrer ließen schon vor dem Nachbarhaus Briketts auf den Asphalt prasseln. Albert hatte sich zwei große Körbe besorgt, deren einen er gerade die dreißig Meter weit in den Keller schleppte. Sie nahmen nun eine Arbeitsteilung vor. Max schippte die Kohlen in einen Korb, während Albert den anderen, schon gefüllten, davontrug. Er setzte seinen Ehrgeiz daran, den Korb vollgeworfen zu haben, bis Albert zurückkehrte. Die Arbeit ging beiden gut von der Hand. Ihre Bewegungen reduzierten sich auf die notwendigsten, verloren alles Eckige, wurden fließender, und jeder fand den recht eigentlichen Rhythmus für sein Tun. Wenn Albert einen Korb absetzte, wechselten sie ein paar Worte. Es wurden deren weniger, je eiliger sie ihre Arbeit trieben. Sie schwitzten und sahen sich aus schwarzumränderten Augen an. Max schmerzten die Schultern und der Rücken. Er richtete sich auf und konnte dem Frisör ins Fenster sehen. Die Trockenhauben summten, ein Mädchen darunter hielt inne beim Augenbemalen und sah ihn ernst an. Die Grünfinken ließen was vom Fensterbrett fallen. Max rückte den Korb vom Kohlenberg weg dem Keller entgegen, um Albert die Arbeit zu erleichtern. Er schmiß nun über eine große Entfernung Briketts in den Korb. Die

linke, die Führhand, griff die Schaufel über dem Blatt, die rechte, die Krafthand, schloß sich im Halbmeterabstand fest um den Griff. Er sah an seiner linken Schulter vorbei, gewahrte beiläufig den linken Fuß, drehte die rechte Hüfte vorn vorbei dorthin, wo gerade die linke gewesen war, daß diese hinter seinem Rücken der rechten nahzukommen bestrebt schien, fuhr mit der Schippe knirschend unter die schwarzen Kohlensteine. Lagen die auf dem Blatt, drückte die Rechte den Stiel bodenwärts, hob die Linke die Schaufel und drängte nach rechts, die eingewinkelten Knie streckten sich. Die rechte Hand, der Arm, die Schulter, die rechte Seite des Brustkorbes, die entsprechende Hemisphäre des Hinterns, das sich hinterrücks nach links verschiebende rechte Bein setzten dem beinahe Widerstand entgegen, obgleich sie die Arbeit dann voll unterstützten. Kamen die Kohlen geräuschvoll im Korb an, wies seine linke Körperseite die rechte in die Schranken, drängte die rechte Seite die linke auf die Ausgangsposition zurück, und alles konnte von vorn beginnen. Das Schönste war, daß er die Hände am Schaufelstiel auch vertauschen konnte. Er brauchte sich nur seinem bisherigen Standpunkt am Kohlenberg gegenüber aufzustellen, und schon führte die rechte Hand. Die linke, der dazugehörige Arm, die Schulter, alle ansetzenden Muskeln stellten die notwendige Kraft zur Verfügung. Er fühlte keine Schmerzen in den Schultern und im Rücken. Albert grinste und trug den Korb wie einen Blumenkorb auf der Schulter. So wars ein glücklicher Morgen. Die Schattenpflanzen im Hof hingen ihre Blattzipfel auf die saure Erde und schwankten, wenn Albert vorbeiging. Eine zerrupfte Amsel lief unter den Blattunneln lang. Frau Spiller hing überm Blumenbrett oben im Hofschacht, dort war das Mauerwerk breiter als unten im Hof, und rief: »Det is wohl nich drin, den Dreck uffejen!« Sie antworteten nicht und rauchten eine Zigarette. Albert hatte Casino, sie fielen aus dem Papier wie Vogelfutter. Max stellte eine Knobelaufgabe: Albert steht mit seinem Lastwagen am Rande einer Wüste, die sich 800 Kilometer weit ausdehnt. Er muß diese Wüste durchqueren. Hier am Ausgangspunkt steht ihm eine Tankstelle mit unbegrenztem Vorrat an Treibstoff zur Verfügung und eine beliebige Zahl Kanister. Der Laster kann allerdings nur so viel Sprit aufnehmen – tanken und laden –, wie er für 500 Kilometer verbraucht. Andererseits darf sich Albert nach Belieben Füllstationen an seinem Weg einrichten. Die Frage ist, mit welchem Minimum an Sprit die Wüste zu durchqueren ist und wie viele Fahrten man bei einer optimalen Lösung nötig hat. Albert kriegte es raus. Dann kehrten sie auch den Dreck weg. Und warfen noch Holzklötze in den Keller. Bündelholz gab es jetzt nicht. Katharina hätte sich darüber geärgert, Max würde es schon kleinkriegen. Albert sagte: »Da machen wir uns zusamm dran!« Sie liefen die Treppe hinauf und wuschen sich in der Küche die Hände. »Wir gehn gleich duschen«, sagte Albert. Max wollte ihm den Vortritt lassen. Albert schob ihn in die umgebaute Speisekammer. »Na los«, sagte er und stupste ihn zwischen die Schulterblätter. Sie entledigten sich der Kleidung; Max regulierte das Wasser, Albert schlug die Binsenmatte auf den Fliesen zurück und hängte das Badelaken in Reichweite. Max unterm lauwarmen Regen sah Albert hantieren, betrachtete all seine Glieder, über die Katharina gelacht hatte (deine Beine sint so lank wie meine Arme unt Beine, aber deine Arme sint noch länger. Wenn du bekwem gehn willst, brauchst du rechts und links einen Graben zum Armeschlenkern). Max fühlte das Wasser auf den Schultern im Rücken kälter werden und hielt das dritte Bein in die Luft.

Albert sah es und richtete den Hohlnerv zum Himmelsäquator. Er lachte. Max zog nach und lachte Tränen. Sie schrubbten sich vom Kohlendreck frei und pfiffen die schönsten Wendungen aus italienischen Opern. »Das war wien Blitz aus heiterm Himmel«, fing Max den Satz an, und Albert sagte unter dem Handtuch hervor: »Was könn wir denn essen, ich muß erst mal was innen Bauch kriegen.«
Sie schnitten Zwiebeln und pellten Kartoffeln. Albert trug unaufgefordert den Mülleimer runter; Max verteilte die Bratkartoffeln auf zwei Teller und stellte eine Tüte Milch auf den Tisch. Albert riß sie auf und goß die Milch in einen gepunkteten bauchigen Krug. »Wir waschen zusamm ab«, sagte er. Sie aßen und hörten Radio, wuschen wirklich ab; sie räumten die Möbel vollends um. Nun stand die Couch nicht mehr schräg im Zimmer, es gab keine toten Winkel. Rechtecke und Quadrate, der ovale Tisch ordnete sich den vorhandenen Proportionen der Wohnung unter und ließen die Zimmer größer erscheinen. Albert sah sich die Arbeit auf dem Reißbrett an und ging in die Kaufhalle. Jetzt, wo ich selbern Kerl bin, jetz kriekich die Ehmannzipatzjon, dachte Max.
Nachmittags hatte Albert an seinem Laster zu bauen. Als Max die Lockenwickler, die kleinen grünen Pillen, die durchbrochene Wäsche, den Frisierstab in einem Karton auf dem Hängeboden untergebracht hatte, ging er auch auf die Straße und kroch zu Albert. »Nimm mal den Engländer«, sagte der. Max konnte damit umgehn. Sie prüften die Achsschenkelbolzen. Max stieg in die Kabine und bewegte die Lenksäule. Albert gab die Kommandos, rief Max wieder unter den Laster. »Faß mal mit an«, »greif mal schnell zu«, »du bistn As, Albert«, »das hätte unser Betriebsschlosser nicht besser gemacht« gingen die Reden.

Als Max der Rücken weh tat, krochen sie in die Fahrerkabine. »Da trankich in Ellrich ein Kaffee, und mir saß einer gegenüber, der hatte ne warme Mütze auf. Sie wern sich wundern, sachte er, aber manche vertragen den Anblick nich. Er nahm die Mütze ab und war kahl; schauderhafte Narbe übern Schädel.« Max wußte, daß nun eine von Alberts wahren Geschichten ausführlich erzählt werden würde. Er streckte die Beine aus. »In Ellrich warich noch nich. Wie isses da?« Albert brannte sich eine Zigarre an. »Gipsmergel.« Er zog an seiner Zigarre. »Kleines Nest, bißchen Kali, baun ne Textilfabrik.« Er blies das Streichholz aus. »Im Kulturhaus hatter Gastronom gewechselt.« Jetzt brannte die Zigarre gut. »Ich war inner ganz kleinen Kneipe mit Bildern von der BSG. Der gegenüber warn Fachmann für Fleischmaschinen und fuhr auf Reparatur. Hatte vorhern Wartburg. Den fuhr er gegen einn Baum im Regen. Na, er fant sich im Krankenhaus wieder, war schon ganz gut wiederhergeschtellt, aber der Arzt sacht immer: Bleiben Sie liegen, gehn Sie nich raus. Der Mann wundert sich. Schließlich kommt die Kripo, der Unfall war lange geklärt. Sacht der Polizeier, sie hätten seine Würste und Ölsardinen beschlagnahmt, wo er die herhätte. Das warn eine große Blutwurst, eine große Schweinsleberwurst, eine sehr große Knoblauchwurst, eine große Kugelsülzwurst und fumfzehn Büxen Ölsardinen. Hatte er alles gekauft; bei den Fleischfabriken und im Betriebskonsum. Der Polizeier schickte einen Mann in die Betriebe nachfragn, das war 150 Kilometer hin und 150 zurück. Und es schtimmte alles. Da durfte er aufschtehn. Aber er wollte seine Wurscht und die Fischbüxen ham. Der Polizeier sacht, das is in Zella-Mehlis, und sie wollten alles in ein Feieramtheim gehm. Aber der mit der Mütze wollte doch seine Wurscht ham, genau die. Wenn ihr Zeit hapt, bis in die Fleischfabriken zu fahren, so hapt ihr auch Zeit, mein Eigentum aus Zella-Mehlis zu holen, hatter gesacht. Ham sie ihm auch geholt. Das war eine große Blutwurst, eine große Schweinsleberwurst, eine sehr große Knoblauchwurst, eine große Kugelsülzwurst . . .« – »Unt fumfzehn Dosen Ölsardinen!« – »Ehmt nicht, vierzehn Büxen, eine war weck.« Er warf den Zigarrenstummel aus dem Fenster und ließ den Motor an. Nach der Arbeit am Wagen mußte eine Probefahrt stattfinden. Max der Beifahrer. (Könntich eigntlich machen bissichn andern Betriep hap.) Albert fädelte sich durch enge Seitenstraßen und näherte sich einer haltenden Straßenbahn auf wenige Millimeter. Langsam fuhren sie hinter einem Pferdegespann her. Auf dem Kastenwagen verrotteten Abfälle, die in Höfen in Holztrögen für die Schweinemast gesammelt worden waren. Der säuerliche Geruch traf sie noch, als sie das Fuhrwerk hinter sich gelassen hatten. Max sah zum Himmel. Die Sonne warf ihre beflammten Strahlen ihm auf den Scheitel. Er wollte das beiläufig feststellen. »Der Bierschtern lohdert ganz orntlich«, kam's ihm über die Lippen. Er hätte es gern zurückgehalten. Die Ausdrucksweise war ihm noch fremd, er hatte das Gefühl, sich bei Albert und dem Gestirn angebiedert zu haben. Doch es war ihm unaufhaltsam von der Zunge gegangen. Albert schien dabei nichts zu finden. »Bierschtern ich dich grüße«, sang er und prüfte hörbar die Luft. »Naja die Lantwirtschaft«, sagte er. »War die Schtrafe fürn Sündenfall. Diplomaten gehn Hasen jagn unt nich Kartoffeln buddeln.« Sie entwarfen die Industrie-Jagdgesellschaft. Max hatte was Ähnliches in der Zeitschrift für Politik-Kunst-Wirtschaft gelesen. Eiweiß und Kohlehydrate würden entweder synthetisch oder durch Hydrokulturen hergestellt werden. Die Städte, die Länder umwüchsen ausgebreitete Dschungel. Die

Menschen gingen mit einfachen Waffen jagen in ihrer Freizeit und dachten nicht mehr an Grenzstreitigkeiten und Kriege. Sie waren fröhlich am Entwerfen, so schnell in der Rede und so im Einklang miteinander wie immer, wenn sie beieinander waren. Sie umrundeten die kleine häßliche Kirche, hupten eine Katze auf den Fußweg und hielten wieder vor dem alten Haus. Albert blieb auf seinem Platz sitzen. Max drehte ihm sein Gesicht zu. Die Haare kann er so lassen, dachte Albert.

Irmtraud Morgner
Gute Botschaft der Valeska
in 73 Strophen

Da bisher keiner berichtet hat von meiner Geschichte, seh ich mich gedrängt, sie selbst aufzuschreiben von Anbeginn. Auf daß alle erfahren die einfache Lehre.

1

Im zweiundsiebzigsten Jahr des zwanzigsten Jahrhunderts lebte eine promovierte Frau auf dem Prenzlauer Berg von Berlin. Sie arbeitete in einem ernährungswissenschaftlichen Institut. Ihr Mann Rudolf hatte den gleichen Beruf und war auch dort beschäftigt. Die Frau hieß Valeska.

2

Da eine gemeinsame Wohnung infolge außerordentlichen Wohnraummangels in absehbarer Zeit nicht in Aussicht stand, hatte Valeska der Eheschließung nicht prinzipiell widerstrebt. Vertraute vielmehr wie auch bei anderen Gelegenheiten irgendeinem natürlichen Fortgang, durch den sich Anstände bisweilen sogar von selbst erledigen konnten wie ablagernde Post auf ihrem Schreibtisch. Von solchem Optimismus erfüllt, gelangen Valeska mit Rudolf zwei schöne Flitterjahre. Und sie fürchtete keineswegs das Ende dieser idealischen Zustände, denn sie baute auf Rudolfs Desinteresse an allen nichtwissenschaftlichen Tätigkeiten.

3

Rudolf betrieb seine Forschungen in der Überzeugung, der größte Wissenschaftler seines Fachs zu sein. Alle Bekannten sahen ihm diese beflügelnde Skurrilität nach. Keiner hätte sie Valeska nachgesehen. Der Frau war Größenwahn auch gänzlich fern. Sie hielt sich für eine jederzeit ersetzbare Mitarbeiterin, die jedesmal selbst überrascht war, wenn sie einen Auftrag erfolgreich erledigt hatte. Nach der sieghaften Verteidigung einer aufsehenerregenden Hypothese aber, die auf einer Versuchsreihe mit Wistarratten gründete, begegnete Valeska auf dem Heimweg etwas, das sie sich als Gesicht erklärte. Befremdlicherweise war es ihr eigenes.

4

Zu Hause empfing Rudolf sie mit Rosen und der Eröffnung, daß eine gemeinsame Wohnung in acht Wochen bezogen werden könnte. Er war heimlich rührig gewesen. Wollte Valeska auch überraschen. Das war ihm gelungen. Freilich anders, als er beabsichtigt hatte. Turbulenter Abend mit reichlich Liebe. Rudolf feierte alle frohen Ereignisse auf natürliche Weise. Valeska war anpassungsgeübt. Schrie sogar lauter als gewöhnlich. Da sie sich tatsächlich der Liebe nicht erfreuen konnte.

5

In der folgenden Nacht, die Valeska schlaflos verbrachte, trank sie drei Tassen Kaffee. Ein halbes Liter des Getränks hatte sie als Studentin in die Lage versetzt, an einem Tag ein anthropologisches Lehrbuch für Prüfungszwecke zu memorieren, konzeptlos streng gegliederte Reden ohne Versprecher zu halten und Liebeskummer jeglicher Art mit diffusen Hochgefühlen wegzudrücken. Aus Rücksicht widerstand Valeska dem fast unbezwingbaren Drang, im Appartement zu wandeln. Verhielt sich vielmehr still an Rudolfs Seite. Lauschend.

6

Rudolfs Wohnung klang nach Meer. Morgens, abends, am besten nachts, wenn der Verkehr flaute. Das süchtigende Geräusche erzeugte eine Wasserkunst vorm Haus. Vier

Wasserbuckel, die sich aus einem blaugrün gekachelten Bassin stülpten. Die Kacheln simulierten adriatisches Gewässer, mindestens Reinlichkeit. Sommers konnte Valeskas Sohn nicht dran vorbeigehen, bevor er gewatet hatte. Außer Kindern wateten bei Hitze jugendliche und ältere Leute. Mittlere Jahrgänge, die nicht mehr unbekümmert auf Charme und noch nicht unbekümmert auf Gleichmut bauen konnten, versagten sich die Lustbarkeit. Valeska versagt sie sich.

7

Gegenwärtig der Matratzenerschütterungen, die unwillkürliche Leibesdrehungen des Mannes bewirkten, dachte Valeska an die beneidenswert opportune Begegnung der Jeanne d'Arc. Die auch Stimmen gehabt hatte. Fremde natürlich. Männliche selbstverständlich: der christliche Gott ist männlich. Jeanne d'Arc war üblicherweise ein Gefäß. Kann eine Frau, deren Körper in Valeskas Land bis zum Erlaß des Gesetzes über die Unterbrechung der Schwangerschaft am 9. März 1972 vom Staat verwaltet wurde, plötzlich ein Gefäß ihrer selbst sein?

8

Konnte Valeskas zweite Heirat ihr ausdrücklicher Wunsch sein? Schließlich lebte sie wunderbar erleichtert allein mit ihrem Sohn, seitdem die Scheidung ihr alle Mühen des Daseins auch offiziell allein zu tragen erlaubte. Valeska litt nämlich unter einem heftigen Widerwillen gegen praktische Vorschriften und Ratschläge, wenn die von praktisch untätigen Leuten erteilt wurden. Sie verneinte strikt deren Kompetenz. Vorzüglich schweigend. Weshalb ihr Haß gegen patriarchalische Zustände von Rudolf als geringfügig, also der Schönheit ihrer Erscheinung nicht zum Schaden gereichend empfunden wurde. Rudolf hatte ein Appartement in dem Ecke Friedrichstraße gelegenen Haus gemietet, das unter der Bezeichnung »Stoßburg« bekannt war. Dorthin war Valeska das befremdliche Gesicht, das ihr auf dem Heimweg mit Stimmen erschienen war, gefolgt. Und sie konnte es nicht abschütteln, sosehr sie sich auch bemühte. Und es paßte ganz und gar nicht in eine gemeinsame Wohnung.

9
Denn Rudolf war Hausfrauen gewohnt.

10
Beirrt in ihrem Glauben an natürliche Fortgänge, die Anstände bisweilen von selbst erledigen, dachte Valeska angestrengt das Licht von Piran, ins Berliner Zimmer diese Begegnung. Wirklich unwiederbringlich, unwiederholbar. Auf dem Marktplatz eine Dichterstatue schirmte das Aug mit der Hand. Die andre harfte ein Loch, wo das Herz ausgespart war vom Bildhauer. Valeska stand ungeschirmt, geblendet, wunderbar erlöst, als wie von Gegenliebe. Die Erleuchtung lag dunstig überm Wasser, drauf in taubenblauen und rosa Stücken, die von den Wellen gegeneinander und auf und nieder bewegt wurden, auch vermischt. Solches Wasser zu ebner, kalksteinbelegter Erde; von Pastellen benommen, flüchtigen Leibs, setzte Valeska die Füße aufs Meer und suchte den Weg durch die fischigen Boote.

11
Ja, Wunder! Wege des geringsten Widerstands. Gänge über Wasser statt Leichen. Schnellhilfe. Andre, die Generationen benötigt, konnte Valeska in dieser Nacht nicht

interessieren. Denn sie wurde den ihr auf dem Heimweg zugefallenen Glauben nicht los, eine nicht jederzeit ersetzbare Wissenschaftlerin zu sein. Da sprach sie unwillkürlich zu sich: »Man müßte ein Mann sein.«

12

Leise. Wenn Rudolf nachts nicht schlafen konnte, hörte er Radio. Als das Morgengrauen durch die Gardinen brach, kam ihr beim Anblick des schlummernden Rudolf die Idee, ihre aufsehenerregende Hypothese zu widerrufen.

13

Gegen acht erwachte Rudolf in schlechter Laune und gab ihr nach auf seine Weise. Also daß er nicht warten konnte, bis Valeska erhoben und angezogen war, sondern stracks zum Kaffee eilte. Den pflegte er im gegenüberliegenden Hotelrestaurant einzunehmen. Es zeichnete sich durch ungeheuerliche Preise und schlampige Bedienung aus, über die Ober konnte sich Rudolf unerschöpflich ärgern, er war Stammkunde. Valeska war gleichmütig gegen Schrullen, wenn sie sich die als Ermüdungserscheinungen zugute halten konnte. An diesem Morgen hartnäckig fröhlich. Obgleich in Erwartung alberner Blicke. Wenn eine Frau in der Früh allein aus dem Portal des Appartementhauses tritt, verdächtigt die Legende sie als von Arbeit kommend. In Valeskas Fall durch standesamtliche Entscheidung zu Unrecht, derlei romantische Legenden belustigten sie denkerisch; praktisch weniger. Nicht aus moralischen, sondern aus Bequemlichkeitsgründen. Auch Hotelhallen und Restaurants allein betreten zu müssen war für sie damals nicht gerade bequem. Rudolf erwartete sie allerdings, das erleichterte. Valeska war geneigt, ihn etwas warten zu lassen. Überhaupt. Und weil diese Betten viel besser waren als die in ihrer Wohnung. Und weil sie übersättigt war von Pflichten und Maschinerie. Sobald ihr Sohn bei den Großeltern zu Besuch weilte, erlahmte ihr hausfrauliches Sollbewußtsein ganz und gar, weshalb sie Rudolfs finanziellen Ruinierungsaktionen widerstandslos folgte. Ihre Wohnung aus Frühstücksgründen zu verlassen wäre Valeska freilich nie in den Sinn gekommen.

14

Valeska war merkwürdig verstimmt. Nicht wegen Rudolf, mit vierzig Jahren weiß eine Frau, daß Männer ihren Launen nachzugeben pflegen, weil sie von Pflichtsortimenten nur schwach dressiert sind. Die Launen nehmen ab mit zunehmenden Pflichtmengen gegensätzlicher Art. Eine berufstätige Frau mit drei Kindern kann sich keine Launen mehr leisten, was von klugen Leuten als heiteres Wesen oder ausgeglichener Charakter beschrieben wird. Da Valeska nur ein Kind hatte, konnte sie gelegentlich etwas Zeit erübrigen, sich über ihr heiteres Wesen, das als eine Art Gottesgeschenk auch im Institut Anerkennung gefunden hatte, zu wundern. Rudolfs wechselhaften Sinn, von seinen Freunden als leidenschaftlich bezeichnet, überlegte Valeska mit Bedacht seltener. Ohne Pragmatismus kann eine Frau nicht leben.

15

Die Bettdecke roch nach Tabak und Fisch. Heimelig. Valeska zog die Oberschenkel auf den Bauch und buckelte das weißbezogene Wollzeug hier und da wechselnd. Der rechte Zeh verfing sich und stieß auf Wolle. Valeska vermutete ein Loch im Bezug. Anläßlich dieser Gelegenheit auch einen hohen Verschmutzungsgrad des Damasts, hinsehen verbot sie sich. Rudolf sah nie auf so was. Hatte andere Interessen. Er war überzeugt, daß Talent in der Fähigkeit bestünde, lange konzentriert einen Gegenstand zu bedenken. Ungestört. Weshalb ihm leicht die Hand ausrutschen konnte, falls sich Valeskas Sohn zur Unzeit ungünstig bemerkbar machte. Von sich verlangte Valeska Gerechtigkeit. Geben ist seliger denn nehmen. Nach derlei Maximen handelt sichs leichter, wenn die verschiedenen Ellen, mit denen gemessen zu werden pflegt, nicht täglich in Augenschein genommen werden müssen. Die in Aussicht stehende gemeinsame Wohnung würde Bedürfnisse nach solchen psychologischen Tricks selbstverständlich nicht befriedigen können. Valeska fluchte auf die stinkteure Lüsterscheune, wo sich irgendwelche gehobenen Dienstreisenden verschiedener Nationalität, Handwerker und exquisitgekleidete Gattinnen mit Kunsthaar am schwedischen Büfett drängelten. Die Nachricht, wonach das Interhotel »Panorama« in Oberhof FDGB-Urlaubern vergeben werden sollte, hatte Valeska genuggetan, Scheißrestaurants.

16

Prompt fand sich Valeska auf dem Balkon der Vermieterin Grbic. Nächst dem Plocetor. Sitzend. Überm Meer wie drauf. Es war hart gebläut von der niedrig stehenden Sonne. Sie wärmte mittags, wenn die Bora flaute, sommerlich. Lokrum stand schwarz aus der platten See. Palmwedel verdeckten den Hafen von Dubrovnik. Am Apfelsinenbaum gilbten die Früchte. Schweiß stand in der Bauchsitzfalte. »Meine Tochter hat nach Schweden geheiratet«, erzählte Frau Grbic redegewaltig, »nach Schweden, begreifen Sie das, ich war einmal drei Wochen dort zu Besuch, schrecklich, dieses Klima, ein unbewohnbares Land, lieber hier ein Bettler als dort ein Millionär.« Sobald

Frau Grbic ihren Verkündigungen, nicht stören zu wollen, nachkam, spuckte Valeska die Olivenkerne wieder durchs Balkongitter. Sprach auch wattigem Weißbrot zu und Milchkaffee aus der Tüte. Ende Oktober wars, als Valeska so barleibig saß auf dem Meer, ach thronte, das warn Frühstücke. Ein Jahr später hinderten die Aussicht auf Nieselregen und andere Widerwärtigkeiten Valeska, ihrer Gewohnheit folgend, derlei Hunger unverzüglich zu stillen.

17

Valeska hatte Angst.

18

Ganz gewöhnliche Angst, da halfen keine albern stilisierten Erinnerungen an Dienstreisen: Zwecklügen. Schließlich war der beste Rat für einen hiesigen Ehemann, dessen Frau mit hiesigen Zuständen, ihre Art betreffend, nicht zufrieden war, sie in so ein Ausland zu begleiten. Kapitalistisches Ausland war für derartige Zwecke zu gut geeignet. Weil es rabiat machte. »Unbewohnbar für Frauen«, hatte Valeska nach ihrer ersten Dienstreise dorthin von Paris behauptet. Ihre Freunde, die schwärmerische Schilderungen erwartet hatten, empfanden das Urteil als getarnte Trostworte für Daheimgebliebene. Oder als dogmatische Strähne, Valeskas dadurch provozierte Behauptung, nirgends in der Welt lebten die Frauen besser als in der DDR, hatte gar nachsichtiges Gelächter ausgelöst. Und den Ausruf »Gesundbeterin«. Jetzt hatte sich ihr Vertrauen auf einen natürlichen, ihr zum Vorteil gereichenden Fortgang als blind erwiesen. Zwar konnte sich auch hierzulande keine Frau heute schon ohne Opportunismus durchbeißen. Aber in diesem speziellen Fall muß man Valeskas lebensfrommes Baun auf dieses charakter- und gesundheitsschädigende Mittel geradezu als fahrlässig bezeichnen. Immerhin hatte sie bereits sieben Jahre mit einem Mann eine Wohnung geteilt, der ebenso wie Rudolf Hausfrauen gewohnt war. Sie wußte also nur zu gut, was auf sie zukam.

19

»Man müßte ein Mann sein«, sagte Valeska abermals unwillkürlich. Ungeachtet gewisser wissenschaftsbeschwerter Verdächtigungen, die Rudolf möglicherweise insgeheim auch als angenehm empfand, alltäglich war er vielseitig. Freuds Wunschbild, daß Penisneid neben Passivität, Narzißmus und Masochismus die Natur der Frau charakterisierten, konnte Rudolf nicht unbequem sein. Valeska hatte bisher seine allgemeinen Umgangsformen, die herrscherlich waren, übersehen können, weil sie die besonderen kannte. Und weil sie ihn selten sah. Die besonderen, liebestätlichen, konnten offenbar ohne die Vorstellung, die Frau unterwerfen zu müssen, auskommen. Da brauchte er keine Demütigungen, Gewalttätigkeiten und andere chauvinistische Verfratzungen, in der Liebe war Rudolf schön im utopischen Sinn. Valeska wollte sich die Kostbarkeit dieser wahrhaftigen Augenblicke nicht vom Geröll eingeschliffener Gewohnheiten verschütten lassen. Außerdem war sie alt genug, um zu wissen, daß es Freundschaft nur unter Gleichen geben konnte. Und erotische Freundschaft blieb bestenfalls übrig, wenn die Liebesfeuer gesunken waren. Vorausgesetzt, daß Rudolf sie als Person liebte, nicht nur als Vertreterin ihrer Art. Zwangslage. Valeska hieb die Fäuste ins Kopfkissen, schlug mit den Fersen die Matratze, fluchte: gestattete sich, da sie von Mutterpflichten entbunden war und allein im Zimmer, Urlaub von der Gottesgabe. Also daß sie sich schließlich aufraffte und das Fenster zuschlug, wodurch das süchtigende Geräusch ausgesperrt wurde. Dann beschloß sie, etwaige im Kühlschrank verbliebene Reste zu frühstücken und die Kaffeemaschine in Gang zu setzen.

20

Von Ungerechtigkeit beflügelt, schwang sie die Füße aufs Kopfkissen, schnellte sie dann übern Bettrand, vorm Spiegel jäh kam sie zum Stehen. Einer Örtlichkeit, deren Nähe sie beim Aus- und Anziehen aufzusuchen pflegte. In ihrem Zimmer war für solche Gelegenheiten ein Empirespiegel angebracht, das teuerste Möbel ihrer Wohnung. Rudolfs gemieteter Spiegel warf unkleidsame Bilder. Das war Valeska gewohnt. Sah stets nur flüchtig rein deshalb. Der Sitte, die Frauen ewige Jugend abverlangt, folgte sie ungern ohne technischen Komfort, von dem ein gewisses Entgegenkommen zu erwarten ist. Sprung in die Stickluft der Kochnische, Anwerfen der eloxierten Apparatur, Dampfbildung, köstlicher Geruch, bald hitzte das erregende Getränk Zunge und Gurgel. Erwartung diffuser Hochgefühle. Vorm Spiegel, wo Valeska bemüht war, mit einem nassen Waschlappen die tränendicken Lider abzuschwellen, äußerte sie zum dritten Male unwillkürlich mit eigner, ihr fremder Stimme den abartigen Wunsch.

21

Da zogen flüchtige Betrachtungsweisen der Taille bei eingezogenem Bauch aufmerksam nach sich. Bald angestrengte. Nicht daß Valeskas Schönheitssinn nur der Nachfrage folgend gebildet war, die gemeinhin zunimmt mit zunehmendem Brustumfang, aber Rudolfs Spiegel zeigte zuwenig. Genauer gesagt: nichts. Außer Warzen mit geschwundenen erblaßten Vorhöfen, von schütterem Kräuselhaar umkränzt. Es stach angenehm wie Rudolfs ihre Handteller. Die Magerung warf Valeska aufs Bett zurück, bevor sie ihr noch eigentlich ins Bewußtsein gelangt war. Da entdeckte sie den Zuwachs. Er lag geklemmt auf den geschlossenen, auch plötzlich schütter bewachsenen Oberschenkeln. Valeska spreizte sie sogleich, um nichts zu demolieren, betrachtete verwirrt die ebenmäßige Fältelung des Beutels entlang der Naht, die halb verdeckt war. Das Glied lag schräg zur linken Leistungsbeuge hin, glattgehäutet, unbeschnitten, zwei Sommersprossen vor der Spitze. Valeska stemmte sich schnell mit den Händen aus der Matratze und machte vorsichtig ein paar Schritte durchs Zimmer. Breitbeinig. Irgendeine unbekannte Spannung wurde spürbar, örtliche Schwere, Druck, ähnlich dem nach einer Prellung, körperliches Geschehen, dem Erkranken oder der Gravidität vergleichbar, Willkür, angenehme. Valeska griff zum Walten hin und fand die Sommersprossen in der Mitte einer Abzweigung. Eilte zum Spiegel zurück. Keine Koffeinhalluzination. Wechselhaftigkeiten derartiger Gewächse pflegten sie bisher gewöhnlich zu erfreuen. Als Objekte. Anverleibt erschien ihr die Zutat als übler Scherz, den sie ohne Zögern Rudolfs schlechter Laune zutraute.

22

Valeskas Sohn war überzeugt, daß Rudolf zaubern konnte. Kann sein, nicht wegen dieser billigen Tricks, mit denen der neue Vater Knöpfe und Plüschtiere verschwinden und wieder auftauchen ließ. Vielleicht durchschaute Arno schon die Bluffs und übersah sie, weil ihm der Gedanke, mit einem Zauberer befreundet zu sein, teuer war. Es erschien aber auch möglich, daß sich Arno in seinem Glauben durch alberne Kniffe nicht beirren ließ, weil er seinem Instinkt vertraute. Der kindliche Instinkt ist bekanntlich dem zerdachten von Erwachsenen absolut überlegen. Also der physischen Weisheit ihres Sohnes folgend, vergaß Valeska ihr Gesicht, ihr Wort, das an ihr geschehen war, sowie das belebende Getränk aus der Maschine und erklärte die Verwandlung, die übrigens auch ihren Kopf gezeichnet hatte, als zaubrischen Racheakt, Vergeltung für eine Bemerkung, Rudolfs Hauswesen betreffend. Valeska hatte die unlängst sehr vorsichtig gemacht, mit Scherzen garniert, um Rudolf nicht zu verletzen, von ihren Verletzungen sah sie wie gewöhnlich ab. Kurz und grob: Sie hatte bemängelt, daß von Rudolf nie etwas Eß- oder Trinkbares bevorratet war, wenn sie ihn besuchte. Angekündigt. – Übrigens war der Kühlschrank auch am ungeheuerlichen Morgen leer. Rudolf entgegnete, Einkaufen dürfte einen Wissenschaftler nicht interessieren. Als er Valeska wenig später akademischen Besuch ins Haus brachte, entschuldigte sie fehlendes Abendbrot mit der Bemerkung, Wissenschaftler zu sein. Giftige Luft und die Eröffnung, Frauen mit Allüren nicht ausstehen zu können. Valeska entgegnete: »Wenn dir ein Mann mit Allüren angenehmer ist, habe ich nichts dagegen, mich als solchen zu betrachten.« Das Anhängsel mit verschiedenen Nachfolgeeinrichtungen erschien ihr als Gegenschlag.

23

Valeska fiel in unmäßiges Gelächter. Angesichts des Gewächses, worauf Legionen von Mythen und Machttheorien gründeten. Beweisstück für Auserwähltsein, Schlüssel für privilegiertes Leben, Herrschaftszepter: etwas

Fleisch mit runzliger, bestenfalls blutgeblähter Haut. Valeska fehlte die entsprechende Rollenerziehung für den ernsten, selbstbewundernden Blick in die Mitte: das Vorurteil.

24
Auch erwies sich zu allem Überfluß, daß die physischen Unterschiede zwischen Mann und Frau gegenüber den kulturellen gering waren. Valeska hatte das geahnt. Aber sie hatte das nicht genau wissen wollen. Manchmal empfindet man Wahrheiten als zu wahr.

25
Da Valeska die Analyse einer zweiten Versuchsreihe an Wistarratten abzuschließen hatte, glaubte sie sich nicht lange von Zwischenfällen aufhalten lassen zu können. Selbst von wunderbaren nicht. Einer Art, die mit alltäglichen Arten wie plötzliche Erkrankung des Sohnes, Ausbleiben der Menstruation, Wasserrohrbruch, Kindergartenaussperrung wegen Scharlach oder Mumps, Fehlen von Kinderstrumpfhosen einer bestimmten Größe im Warensortiment und ähnlichen Forschungshindernissen gemein hatte, daß sie durch Denken nicht beeinflußbar waren. Über Gegenstände, die durch Denken nicht beeinflußbar waren, zu denken, hatte sich Valeska mühsam abgewöhnt. Aus verhaltensökonomischen Gründen. Jetzt war sie nicht in der Lage, sich der ihr jäh zugefallenen Privilegien mit dem Komfort eines guten Gewissens zu bedienen. Wenn sie sich eine Art hätte aussuchen können, hätte sie vielleicht, ihrer erotischen Neugier folgend, die zwitterhafte gewählt. Die ihr zugekommene konnte sie bestenfalls als privilegierende Uniform empfinden. Weshalb die Botschaft weitererzählt wird ohne Namensänderung. Auch ohne grammatikalische Geschlechtsänderung.

26

Die Unauffälligkeit der Uniform schätzte Valeska besonders. Jeanne d'Arc hatte eine zu auffällige Verkleidung gewählt, um ihr militärisches Talent anwenden zu können. Weshalb ihr nur zwei Jahre bis zum Schafott gewährt worden waren.

27

Valeska erinnerte gewisse Übungen, die Rudolf gelegentlich morgens verrichtete, wenn er der Liebe aus zeitlichen oder anderen Gründen entsagen mußte. Valeska spannte also die Armmuskeln, wodurch die Abzweigung zu verstaubarer Größe absank. Kleidersorgen sah Valeska übrigens nicht auf sich zukommen, da sie von je Hosen bevorzugte, um den zeitfressenden Rocklängenänderungen und anderen Modevorschriften zu entgehen. Auch die Frisur, glattes, nackenlanges Haar, war mit ihrem jetzt strengeren Gesicht vereinbar, weil regelrecht modern. Die neueste Herrenmode gab männlichkeitswahnmüden Männern Gelegenheit, gewisse Machtattribute äußerlich abzulegen, eine Ersatzhandlung vielleicht, ein Spiel jedenfalls: im Modejargon »Partnerlook« genannt. Da Valeska eine Erziehung genossen hatte, die trainierte, große Veränderungen am eignen Leib widerstandslos hinzunehmen, war sie fähig, sich mit ihrem Spiegelbild abzufinden.

28

Als das Telefon klingelte, langte sie mechanisch den Hörer zum Ohr. Rudolfs Stimme. Schmeichelhaft versöhnlich, er fragte, ob er ihr inzwischen Artischockenböden mit Krebsfleisch bestellen dürfte. Sie stotterte etwas von Magenverstimmung, dann von einem Anruf des Institutsdirektors, der sie zu vorzeitigem Aufbruch nach Moskau verpflichtet hätte. »Du sprichst so komisch«, sagte Rudolf und erkundigte sich mit zärtlichkeitsbeladnem Timbre nach ihrer Gesundheit. Solche Töne verbiegen selbst strenge Konzepte. Valeska hatte kein strenges, sondern gar keins, konnte nur blindlings draufloslügen mit dieser schwer benutzbaren Kratzstimme. Daß Rudolf ihre Konversion verschuldet hatte, erschien ihr schon ausgeschlossen, sein Idiom war hinreißend, sie liebte ihn wie je.

29

Sie liebte ihn wie je? Die Wallung erst verhalf Valeska zu einigem Verständnis der weitreichenden Folgen ihrer veränderten Lage. Abermals von Angst, jedoch ganz neuer Art, geschlagen, warf sie den Hörer auf die Gabel. Kein Zweifel: Rudolf war ihr verloren, wenn er ihren Zustand entdecken würde. Wieso hatte die Verwandlung nicht auch eine Änderung ihrer Zuneigung bewirkt? Valeska fühlte sich viel schlechter als am Abend zuvor. Ratlos. Verzweifelt. Wußte nur, daß sie sich vor Rudolf verstekken mußte irgendwie.

30

In Ermanglung brauchbarer Fluchtideen griff Valeska auf die erste beste Notlüge zurück: Moskau. Das Dienstvisum für eine zwölf Tage später stattfindende Arbeitsbesprechung mit Kollegen vom Institut für elementorganische Verbindungen der sowjetischen Akademie der Wissenschaften war Valeska ausnahmsweise bereits zugegangen, ein hoffnungsmachendes Zeichen in diesem Wirrsal, wie ihr schien. Sie suchte und fand immer irgendwelche glückhaften Zeichen in schwierigen Lebenssituationen, an die zu glauben sie nicht für ehrenrührig hielt. Im Gegenteil, sie hatte sogar eine spezielle Theorie über die gesundheitsfördernde Kraft von Lebenslügen entwickelt. Menschen, die nicht an ihren guten Stern glauben konnten, erschienen ihr schwächlich. Telefonische Anfrage an den Flughafen. Buchung. Telefonische Krankmeldung an ihr Institut in R. bei Potsdam. Verspäteter Start wegen Nebel. Landung im Schnee. Valeska hatte die Birken von Scheremetjewo belaubt erwartet. Mitte Oktober. Sie bewohnte eine Straße, wo die jahreszeitlichen Zustände der Flora nur aus Zeitungen zu ersehen waren.

31

Moskau war eine deutliche Stadt. Berlin erschien dort vergleichsweise als verschwommener Ort. Schon bei der Ankunft auf dem Flughafen traf Valeska auf diese seltsam angenehme Markanz: Freundlichkeit wuchs hier viel deutlicher als zu Hause, das Gegenteil auch. Die Formalitäten wurden entweder herzlich oder gleichgültig erledigt. Taxifahrer redeten wie alte Bekannte oder gar nicht: keine Kulanz. Einzug über die Wolokolamsker Chaussee. Rauchgraue Frosthelle, die Farben deckt, fühlbare. Ein Sockel hob die rotbraune Panzersperre aus der Ebene. Die Taxiuhr schlich ungewohnt langsam. Der Fahrer gewöhnte Valeskas Zunge und die Ohren bei Wortwechseln über ihren ungenügenden Sommermantel ans härtere, weichere Verständigungsmittel. Hielt und wartete anstandslos vor einer Telefonzelle in Kitaigorod, wo Valeska sich ihrer überraschten Freundin Shenja ankündigte. Die Telefonzelle stand schief. Und machte auch innen einen verkommenen Eindruck. Vor neun Jahren, als Valeska Stadt und Land erstmals besuchte, konnten sie derartige Unebenheiten infolge idealistischer Erwartungen verstören. Heute freute sie sich über die Dienstreisen wegen dieser eigentümlichen, von Schlamperei gemilderten Entschiedenheit.

Moskau war überhaupt der einzig denkbare Fluchtpunkt für einen Menschen wie Valeska in Valeskas Zwangslage. Weil ihr wie dem weiblichen Geschlecht überhaupt nur ein Fluchtweg blieb: der nach vorn. Dienstreisen nach Paris, Rom und anderen Orten der Vergangenheit hätte Valeska jetzt also unter keinen Umständen angetreten.

32

Shenja versprach Valeska eine Befürwortung für ein Hotelzimmer, sie hatte selbstverständlich Zeit für Valeska, keinerlei Andeutungen über Ungelegenheit, organisatorische Verzwicktheiten, Zeitnot. Viele wörtliche Küsse und Umarmungen, die Valeska wie stets nicht sogleich ohne Anstrengung erwidern konnte. Sie mußte erst das, was man hier Seele nennt, rausschließen. Sich dran gewöhnen, daß derlei landesüblich ungeniert offen getragen wurde. Erholsame Gegend, Hochdruckwetter. Trockene Luft. Windstille, wodurch Valeskas Sommermantel fast genügte. Trenchcoat. Da war die weibliche Fasson nur durch die Knöpfrichtung angedeutet. Deshalb trug Valeska falsche Wimpern und reichlich Schminke. Die Maskierung war eigentlich nur für die Paßkontrolle gedacht, um die Identität mit den Papieren herzustellen. Im Telefongespräch mit Shenja motivierte sie aber die veränderte Stimmlage entgegen ihrem Vorsatz mit Bronchitis. Weil ein erotischer Scherz, den Valeska sich nicht versagen konnte, schweigend genommen wurde. Da verlor sie den Mut, Shenja die Konversion zu gestehen. Wurde augenblicklich an die Sittenstrenge erinnert, die auch landesüblich war. Die Seele trug man ungeniert, jedoch oberhalb der Gürtellinie. Anderes verschwiegen. Valeska erinnerte sich, daß sie mit Shenja noch nie über Verschwiegnes gesprochen hatte.

Gleich entdeckte sie in deren Stimme biedere Töne. Die Reise war eine Schnapsidee!

33
Verabredung mit Shenja für den Abend im Hotel Peking, wo ein Zimmer für Valeska verfügbar sein sollte und auch tatsächlich verfügbar war. Die Frauen dort in der Rezeption stellten den Gästen ihre Arbeitskraft zur Verfügung, nicht ihren Anblick. Schau wurde nicht als zum Service gehörend empfunden. Man trug kleiderschonende Kittel, Alter unbemäntelt. Zur verabredeten Zeit wartete Valeska in der bahnhofähnlichen Hotelhalle. Shenja stöckelte resolut übern Marmor, umarmte und küßte sie, schenkte Blumen, fragte besorgt nach ihrer Gesundheit, deren schlechten Zustand sie vom veränderten Gesicht abzulesen glaubte. Die aufgelegte Schminke modelte Strenge in Alter. Hexenhaft.

34
Der Türdienstmann des Restaurants verweigerte beiden den Zutritt. Unbegleitet. Weil Peking ein anständiges Lokal wäre.

35
Was? Und da stürzte Freundin Shenja nicht vor Wut einen Tisch um? Da verlangte sie nicht den Hotelchef? Da sagte sie »komm« und zog Valeska weg?

36
Als sich Valeska so weit beruhigt hatte, daß sie einen Gedanken fassen konnte, erkannte sie den günstigen Augenblick. Und war entschlossen, ihn zu nutzen. »Moment«, sagte Valeska also und wusch sich die Maske in der

nächsten Damentoilette runter. »Pardon«, sagte sie der empörten Toilettenfrau, der die jetzt sichtbar gewordenen Bartstoppeln nicht entgangen waren. Mit Mühe gelang es, den Rausschmiß etwas hinauszuzögern, um Zeit für den Aufbau der Erklärung zu gewinnen. Valeska hatte sich vorgenommen, viel Sorgfalt auf die Form der Erklärung zu verwenden. Als sie aber die Freundin arglos neben der Rezeption warten sah, glücklicherweise in einem Sessel, fielen alle Vorsätze aus Valeskas Kopf. Und Shenja bekam die Wahrheit in drei Sätzen.

37
Trotzdem übertraf Shenja die kühnsten Erwartungen.

38
Also daß Valeska die Freundin unbehelligt am Arm durchs Restaurantportal führen konnte. An einen geschirrstarrend gedeckten Tisch. Hoch oben grellbunte Deckenmalerei. Die Säulenhalle war chinesischen Tempelbauten teuer nachempfunden. Shenja, eine Frau der Generation, die der Krieg verheiratet oder unverheiratet zu Witwen gemacht hatte, zwangsemanzipiert, verbarg ihre Souveränität wie stets hinter burschikoser Gelassenheit. Das Haar ließ sie sich brutal schwarz färben, wenn sie Zeit hatte. Wenn nicht, trug sie weiße Ansätze ebenso mit Würde. An jenem außerordentlichen Abend gelbrote Lippen. Aber keinerlei Anstrengungen, Falten mit Make-up zu übertünchen. Oder den Bauch mit Korsett wegzudrücken. Sie hatte drin kurz hintereinander drei Kinder ausgetragen, hatte sie allein aufgezogen, nebenbei studiert, da kann wenig Zeit für Schlaf und andere Schönheitsmittel geblieben sein. Offenbar sah sie keine Gründe, sich ihres gezeichneten Körpers zu schämen. Das hatte Valeska von

je an ihr imponiert. Genüßliches Rauchen, wobei Shenja die kunstbernsteinerne Zigarettenspitze von Zeit zu Zeit mit geräuschvollen Bissen von einem Mundwinkel in den andern wälzte. Da ihre braunen Augen dicht nebeneinander lagen, konnte ihr Blick bei außerordentlichen Gelegenheiten stechen.

39

Jetzt zum Beispiel. Bisher hatte Valeska solche Blitze nur bei den turnusmäßigen Arbeitsbesprechungen ihrer Institute anläßlich glänzender Hypothesen verschickt gesehen. Die Shenjas Überzeugung direkt entgegenkamen oder direkt widersprachen. Shenja war überzeugt, daß in absehbarer Zeit eine ökonomisch tragbare Synthese von Nahrungsmitteln die traditionellen Herstellungsverfahren ersetzen würde. Riesige Werke könnten dann alle Nahrungsmittel für die Bevölkerung herstellen. Die Landwirtschaft würde der Vergangenheit angehören, Obstbau und Blumenzucht vielleicht ausgenommen. Überlebt hätte sich auch die Industrie, die bisher die Landwirtschaft mit Maschinen, Treibstoff, Düngemitteln und Pflanzenschutzmitteln versorgte. Viele Berufe würden sich dann verändern. Es würden Projekte anzugehen sein, die die gemeinsame Arbeit der Chemiker, Biologen, Ärzte und Ökonomen erfordern müßten. Shenja war entschlossen, der Tatsache, daß heute jährlich fünfundzwanzig Millionen Menschen Hungers starben, so entgegenzuarbeiten. Mit rationellem Fanatismus. Unrationellen Fanatismus hatte Valeska bisher übersehen. Shenja entgegnete nämlich gelassen, daß Erscheinungen, von denen die wissenschaftliche Weisheit bisher nichts hätte träumen lassen, einem echten Forscher normal erschienen, überaus wünschenswert, seinen höchsten Erwartungen entsprechend, geradezu glückhaft. Weil mit allen bisherigen Theorien im Widerspruch stehend: das heißt herausfordernd. Anstachelnd. Inspirierend. Valeska mußte Shenja die Verwandlung in allen Einzelheiten schildern.

40
Shenja lauschte hingerissen.

41
Nach der Nachspeise machte sich Shenja Notizen. Sie bedauerte, keine Biophysikerin zu sein. Trotzdem bat sie Valeska, das Material einstweilen nicht weiterzugeben. Um eine wissenschaftliche Entdeckung zu machen, reicht heute meist Klugheit nicht. Man braucht auch Glück, an Material zu kommen; was infolge hoher Forschungstechnisierung, die kollektive Arbeit erfordert, eine gewisse Position voraussetzt. Shenja war eine einfache Mitarbeiterin. Sie sah eine Chance. Denn sie glaubte nicht nur an die Geheimnisse dieser Welt, sie wußte blindlings von ihnen. Dieses Unbekannte, Ungenannte bezeichnete sie als »Glanz«. Leute, die sich für modern hielten, weil sie an die Wissenschaft glaubten wie an eine Religion, verachtete sie. Wies gern und oft nach, daß anmaßende Geister biederen Formats sich mit diesem Religionsersatz die Welt für ihren Verstand handlich zustutzten. Auf Erklärungen konnte sie allerdings nie verzichten. Sie schwieg eine Weile, um nach einer vorläufigen Erklärung zu suchen. Rauchte auch nicht. Biß nur laut die leere Zigarettenspitze von einem Mundwinkel in den anderen und zurück: Shenjas spezifisches Denkgeräusch. Nach dieser Weile zog sie das Mundstück jäh, auch spezifisch, aus den Zähnen, stopfte es und entschied: »Um in die Historie einzutreten, mußtest du aus der Historie austreten.« Valeska gefiel der effektvolle

Satz. Sie küßte Shenja hingerissen die Hand. Der erste offizielle Handkuß. Das männliche Vorrecht, den Hof zu machen, gehört auch zu den allerersten Vergnügungen der menschlichen Rasse. Später Liebe in der kommunalen Wohnung.

42

Gedankenlos. Nachdem beide erfreut waren, fiel Valeska ein, daß die erstmals erprobte Apparatur ohne herrscherliche Gefühle und Unterwerfungsvorstellungen funktioniert hatte. Shenja war nicht verwöhnt, also begeistert.

43

»Aber mein Sohn wird nicht begeistert sein«, sagte Valeska nach dem Schwitzen. »Drei Väter? Ob Kinder einen brauchen, erscheint mir sogar bisweilen zweifelhaft, ob sie eine Mutter brauchen, bezweifeln nicht mal patriarchalische Gesetze, was zum Teufel werd ich Arno sagen?« – »Die Wahrheit«, sagte Shenja, und daß dem Kind nichts abginge. Im Gegenteil. Es folgten Lobsprüche, die Shenja in traditionell russischem Rezitationsstil intonierte: mit verstellter Stimme. Opernsound. Nach unvermitteltem Abstieg in den Alltagsstil mühte sie sich angestrengt, nicht zu verzeihen, daß Valeska bereit gewesen war, angesichts des ansehnlich schlafenden Rudolf ihr eignes Gesicht von sich zu weisen. »Skandal, sich zu verleugnen, als das eigne Wort bereits geschehen war an dir«, sagte Shenja. »Dressurskandal, nicht zulassen zu wollen, daß Glaube, der mehr als Berge versetzen kann, mehr als Berge versetzen kann, Opferdrill.« Das letzte Wort ertrank in schnarrenden Konsonanten. Überhandnehmen des slawischen Akzents war bei Shenja ein Zeichen von Erregung. Sie hatte im Krieg begonnen, Deutsch zu lernen. In irgendeinem

Lazarett, wo sie als Hilfsschwester Gefangene versorgen mußte. Um das Maß voll zu machen, langte sie einen Band Rousseau vom Bücherbrett, das überm Bett angebracht war, und verlas: »Die Erziehung der Frau soll auf die Männer abgerichtet sein. Ihnen zu gefallen, ihnen nützlich zu sein, sich ihnen liebenswert zu machen, sie zu erziehen, wenn sie noch Knaben, sie zu umsorgen, wenn sie erwachsen sind, ihnen mit Rat beizustehen, ihnen das Leben angenehm zu machen – all das sind zu jeder Zeit die Pflichten der Frau, und dies sollten sie von Kindheit an lernen.« – »Du scheinst ganz und gar vergessen zu haben, daß ich jetzt ein Mann bin«, entgegnete Valeska, »glaubst du, es ist angenehm, solche Männerhaß erzeugenden Schriften in dieser Eigenschaft zur Kenntnis zu nehmen? Mit Vergeltungsaktionen lassen sich gewiß keine menschlichen Zustände erreichen. Dieser Rousseau muß ein Provokateur gewesen sein.«

44

Shenja klopfte mit der Zigarettenspitze verschiedenenorts das eiserne Bettgestell. Triangelgeräusche in wechselnder Tonhöhe entsprechend der Rohrstärke. Valeska klimperte zurück, aber nicht so melodisch. Weil sie an den ansehnlich schlafenden Rudolf denken mußte. Sogar Lust verspürte, über ihn zu reden. Sie unterließ das aber aus Gründen, die ihr noch nicht deutlich waren. Shenja war auch zweifellos die schönere Erscheinung. Nicht von Wuchs. Freilich mußte Valeska gerechterweise die Vorzüge der Freundin auch auf disharmonische Gegebenheiten zurückführen. Vielleicht war Shenja nur stolz und gar nicht als außerordentlicher Charakter angelegt, vielleicht hatte ihre Artzugehörigkeit den nach und nach erzwungen? Weil Shenja wahrscheinlich ebenfalls nicht erspart blieb, sich ständig in Zweifel zu ziehen, über sich nachzudenken, sich zu prüfen, sich aufzuerstehen, das befördert menschliche Tugenden wie Bescheidenheit, Toleranz, Langmut. Rudolf zwang nichts, sich in Zweifel zu ziehen. Seine Artzugehörigkeit erlaubte ihm die Überzeugung, die Norm zu sein. »Warum habe ich diesen Rudolf eigentlich geliebt«, fragte Valeska plötzlich doch laut. Das Perfekt war zur Bagatellisierung eingebaut. Aber Shenja schien es nicht zu bemerken. Sie ließ den Mund hängen. Gleich sank andernorts die Gesichtshaut nach. Schatten fraßen sich in Falten, irgendwelche Trauer, jedenfalls Alter. Nur in der Stimme blieb Energie. »Ich glaube, wenn man genau sagen kann, warum man jemanden liebt, hat man aufgehört zu lieben«, sagte diese Stimme. Sie klang, als ob sie über einen Laborversuch zu berichten hätte. Valeska erschreckten Klang und Anblick. »Möchtest du etwa, daß ich ein Mann bleibe«, fragte sie verwirrt. »Klar«, sagte Shenja, »wenn du schon fragst, mußt du dir auch die Antwort anhören, kannst sie aber gleich wieder vergessen. Kurz und gut: die Frage ›warum‹ erlaubt eine Motivation. Oder zwei. Meinetwegen zehn. Glücklicherweise ist der Mensch ein Universum. Unübersehbar. Wäre er nicht rätselhaft, würde die Liebe sich auf Sex reduzieren. Die schöpferische Besoffenheit bliebe aus, weil es nichts zu entdecken gäbe, Ödnis weit und breit, du mußt dich auf große Erfolge bei Frauen gefaßt machen.« – »Ach du Schande«, sagte Valeska.

45
Zwischendurch Betätigung in der Gemeinschaftsküche. Ein wunderbar verschlamptes Gewölbe, für dessen Zustand vier Frauen verantwortlich waren. Früher hatten die Vierzimmerwohnung vier Familien bewohnt, achtzehn

Personen. Die Hühner waren noch immer nicht genügend aufgetaut, weshalb sie Shenjas Halbierungsversuchen lange widerstanden. Shenja verfluchte diese unhandliche Nahrungsmittelform, besonders die Knochen. Valeska wies ihr Mutterflüche nach. Beschrieb auch eine zukünftige Luxusvariante von synthetischem Fleisch: Kotelett mit eingelegtem Plastknochen. Dachte: Schamlosigkeit, so einen Mund und so eine Nase unbemäntelt herumzuzeigen! Dieser Rudolf sah auch noch so aus, wie er war. Absolut unbequem für den Alltag, bisweilen sogar ungenießbar. Aber für Feiertage! Rudolf war ein Mann für Feiertage: Reisen, Räusche, Religionen. Da er sich für den Größten hielt, konnte er auch nicht zweifeln, daß ihm das Größte gehörte: also alles. Wenn er mit Valeska im Zug gereist war oder im Flugzeug oder im Bett, hatte er ihr die Welt gezeigt wie sein Eigentum. War überall bewandert, wies seine Schätze mit kindlichem Besitzerstolz vor. Gespannt, auf staunende, bewundernde Blicke versessen. In solchen Momenten hemmungsloser Neugier pflegten seine bunten Augen andeutungsweise zu schielen. Schöne, verwirrende Anblicke, blaue Noten zwischen Sinnlichkeit und Fanatismus, »wer nicht die Kraft aufbringt, von den historisch gewachsenen sittlichen Verbiegungen abzusehen, kommt zu keinem lichten Augenblick«, sagte Valeska. »Aber mußt du deshalb unbedingt schwul werden«, fragte die Freundin.

46

Als die Hühner entsprechend den Anweisungen eines georgischen Rezepts zerlegt waren, briet Shenja sie beidseitig, indem sie die Hälften mit büchergefüllten Schüsseln beschwerte. »Wenn du andere schwer wiegende Gegenstände in deinem Haushalt hast, kannst du natürlich auch andere zum Plattdrücken nehmen«, sagte Shenja und viel über Valeskas Theorie. Deren praktische Ausarbeitung Möglichkeiten eröffnen könnte, um dieser Milliarde Menschen in Lateinamerika, Asien und Afrika, die fehlernährt wäre, weil nicht genügend Eiweiß, Vitamine und Mineralien zur Verfügung stünden, zu helfen. Der jetzige Zustand führte zu hoher Kindersterblichkeit, niedriger durchschnittlicher Lebenserwartung und verminderter körperlicher und geistiger Arbeitsfähigkeit dieser Menschen. Unversehens gerieten Valeska und Shenja ins Pläneschmieden wie in vergangnen Zeiten. Als die Freundschaft noch nicht von erotischer Habgier bedroht war. Valeska vermißte sogar Druck an den Rippen und hätte vielleicht ihren Büstenhalter gesucht, wenn Shenja ihr nicht Gelegenheit gegeben hätte, erneut in Eifersucht zu baden. Shenja konnte sich nicht verkneifen, Rudolf mit seinen Ansichten in schlechtes Licht zu setzen. Frauenrechtlerische Bestrebungen erschienen ihm nämlich gegenüber der Tatsache, daß jährlich fünfundzwanzig Millionen Menschen Hungers sterben, als Bagatelle, nicht ernstlich auf der Tagesordnung stehend, weil Gesellschaften sich nur Aufgaben stellten, die sie lösen könnten. »Die gesetzlichen, rechtlichen Gegebenheiten seines Staates haben die gewohnheitsdenkerischen nicht nur der männlichen Bewohner bereits beträchtlich überholt«, erwiderte Valeska sprechgesangweise, Bariton. Anschließend Arien mit Vorschlägen, welche Aminosäuren und welche Zukkerarten in welchem Mischverhältnis erwärmt werden müßten, um den köstlichen Bratenduft zu simulieren, der sich seitlich der Aufbauten erhob.

47

Am folgenden Abend lernte Valeska die übrigen Bewohner der kommunalen Wohnung kennen. Essen von achtzehn bis dreiundzwanzig Uhr. Die Wachstuchdecke war mit Vorspeisen verstellt, dann mit ukrainischen Pelmeni, Torte, Tee, Leger. Keine der Frauen hatte den Ehrgeiz, Hausfrauenperfektion zu beweisen, verachtete die vielmehr unverhohlen. Shenja beobachtete zufrieden, daß die drei geladnen Herren Valeska schnell von den geladnen Damen isolierten. Bald saßen die Männer zusammen. Gespräche über Politik und fachliche Themen. Unterhaltungssprache: Russisch. Valeska konnte den Georgier nicht nur sprachlich am schlechtesten verstehen. Der Wortschatz des deutschen Physikers stand dem des Jugoslawen an Dürftigkeit nicht nach. Als der georgische Meteorologe »wir« sagte, rückte Valeska unwillkürlich etwas ab mit dem Stuhl. Sie hatten sich selbstverständlich den unerbittlichen Trinksitten Georgiens zu beugen wie die anderen männlichen Anwesenden. Wagte aber im Gegensatz zu denen nicht, sich drüber zu beklagen. Um sich nicht zu verraten und in weibliche, das heißt weibischen, das heißt verachtenswerten Geruch zu kommen. Valeska beneidete die Frauen herzlich um ihre Trinkfreiheit. Schnell hatte der Wodka den echten Männern die Freundinnen gänzlich entrückt. Die Herren umarmten einander, renommierten mit Zoten und Siegen, Valeskas zurückhaltendes Benehmen konnte ihnen nicht mehr auffallen. Der slawophile Physiker, der in Dubna arbeitete, erzählte dem dalmatinischen Fußballtrainer Abenteuer mit Dalmatinerinnen. Der Trainer erwiderte, daß er seiner Frau ein Messer in die Rippen jagen würde, wenn er erführe, und revanchierte sich mit Berliner Abenteuern. »Und wenn sie erführe«, fragte der Physiker. Der Trainer antwortete ihm mit dem serbischen Sprichwort: »Es ist ein Unterschied, ob ich durchs Fenster auf die Straße spucke oder ob mir jemand von der Straße durchs Fenster in meine Wohnung spuckt.« Gelächter. Valeska verschwand ab und zu und steckte sich einen Finger in den Mund. So erleichterte sie sich vom Alkohol, erschwerte aber ihre Lage. Denn ihre wenig betäubten Ohren konnten die bissigen Bemerkungen der Frauen nicht überhören. Auf Valeska als den einzigen verhandlungsfähigen Mann konzentrierten Marina, Raja und Polina ihre Feindseligkeit. Shenja schwieg dazu. Weshalb Valeska sie verdächtigte, die weiblichen Teilnehmer der Tafelgesellschaft tendenziös ausgesucht zu haben. Daß die männlichen für Propagandazwecke geladen wären, erschien Valeska so gut wie erwiesen. »Und ich dachte, es würde ein heiterer Abend«, sagte Valeska. »Das dachte ich auch«, sagte die Sekretärin Marina und daß sie von der Art Gleichberechtigung, die den Frauen erlaubte, wie Männer zu arbeiten und wie Frauen dazu, die Nase voll hätte. Raja, eine vierundzwanzigjährige Elektroingenieurin, sagte: »Heiraten? Zu teuer.« Polina wünschte polemisch gar Zustände des vorigen Jahrhunderts zurück, da Männer ihre Mätressen immerhin aushielten. Shenja schien auf irgend etwas zu warten. Die Aussicht, womöglich lebenslang verurteilt zu sein, für die Schuld anderer ihre Ohren und mehr hinhalten zu müssen, wenn sie sich nicht aufgeben wollte nach Paris, Rom oder ähnlichen diesbezüglich indiskutablen Orten der Vergangenheit, deprimierte Valeska. Angestrengt arbeitete ihr Geist dran, sich die Feindseligkeit mit Enttäuschung über den schleppenden Fortgang revolutionär eingeleiteter Veränderungen zu erklären. Ein Trost, der nicht ernstlich trösten konnte. Ihre sozialistische Weltanschauung bewog Valeska deshalb nach Mitternacht, den militanten Stimmungen von Raja, Marina und Polina mit dem Wunder zu begegnen.

48
Da schliefen die Männer längst in Polinas Zimmer. Shenja war in sieghafter Stimmung. Valeska beschrieb das Wunder sorgfältig. Feier in Rajas Zimmer bis zum anderen Mittag.

49
Raja bezeichnete das Wunder als Ultimatum. Marina sagte: »Gott aus der Kaffeemaschine.« Die Lehrerin Polina aber fragte: »Wo steht die gute Botschaft geschrieben?«

50
»Nirgends«, antwortete Valeska.

51
Von neuen Einsichten entzündet, gab Shenja ihren wissenschaftlichen Plan auf und das Material frei. Für Valeska.

52
»Wieso für mich«, fragte Valeska. »Auf Evangelisten kannst du nicht rechnen«, sagte Shenja.

53
Valeska wohnte elf Tage in der kommunalen Wohnung. Dann flog sie zurück nach Berlin, um Rudolf und den anderen zur Arbeitstagung in Moskau erwarteten Mitarbeitern des Instituts nicht zu begegnen. Natürlich Tiefdruckwetter. Diese abenteuerhindernde Gräue. Schon normalerweise fiel es Valeska vor Wintersonnenwend schwer, hoffnungverbrauchende Tätigkeiten zu beginnen.

Da Polina eine plötzliche Rückverwandlung nicht für ausgeschlossen hielt, nahm Valeska sich vor, die Zeit nicht mit Grübeln zu vertun, sondern weltkenntnisbringend zu nutzen. Optimal. Das heißt hochenergetisch. Die größten Einblicke in unbekannte Welten eröffnen den Menschen Menschen, die sich eröffnen. Also.

54
Von etlichen Bekanntschaften, die Valeska in kurzer Zeit leicht suchen und finden konnte, da ihrem neuen Geschlecht Aktivität als sittlich zuerkannt wurde, waren zwei positiv wesentlich: Lena und Wibke. Die negativ wesentlichen bleiben aus propagandistischen Gründen unerwähnt.

55
Valeska lernte Lena im Haus der Deutsch-Sowjetischen Freundschaft am Kastanienwäldchen kennen, wo sie Nachdichtungen vortrug. Nach Rohübersetzungen angefertigte, Lena sprach keine Fremdsprache ernstlich. Ernährte sich und ihre Tochter mit nachgedichteten Gedichten, da die generell mehrfach höher bezahlt wurden als eigene. Weil Valeska ihr gefiel, beantwortete sie ihre Frage, ob sie unter den gegebenen Bedingungen gern eine Frau wäre, mit Ja. Valeska entgegnete, nicht zu den Männern zu gehören, denen man etwas vorlügen müßte, um sich als Vollblutfrau auszuweisen und jeglichem Verdacht auf Blaustrümpfigkeit, die Vollblutmänner wie die Pest hassen, zu begegnen; so begann die Freundschaft. Die allerdings wegen Zeitmangel nicht recht gedeihen konnte. Lena hetzte durch die Tage, sechs Uhr aufstehen, Kind in den Kindergarten bringen, heizen, aufräumen, dichten, einkaufen, Kind holen und etwas bespielen, Wäsche wa-

schen, kochen, Kind baden und ins Bett bringen, Wohnung saubermachen, womöglich ein Buch lesen oder fernsehen, solche Hetzerei ist der Liebesfähigkeit abträglich. Eines Abends, als Lenas Lebensgefährte, der im gleichen Beruf durch die Welt reiste, von Kraków anrief, sagte Valeska: »Warum schmeißt du nicht den ganzen Haushaltkrempel hin und sagst, das tue ich nicht, ich bin eine Dichterin. Warum zum Teufel legst du dir nicht ein paar Allüren zu, die dir die Sitte arthalber versagt hat, warum eigentlich setzt du deinem Lebensgefährten nicht mal die Tochter auf den Schreibtisch – bitte, was man nicht kann, muß man lernen – und begibst dich zum Flugplatz. Man würde dich natürlich allgemein für eine Rabenmutter halten, verantwortungslos, man würde den armen Mann bedauern und so weiter, pfeif drauf. In dieser Tretmühle kannst du nur weit unter deinen Möglichkeiten bleiben. Was keineswegs lediglich eine Privatangelegenheit ist.« Mit solchen und ähnlichen Worten hätte Valeska ihre Herkunft beinahe verraten.

56
Valeska schrieb Raja nach Moskau, daß sie eine Schriftstellerin gefunden hätte, die sicher in der Lage wäre, das Wunder zu beschreiben. Sie schilderte Lena als eine sanfte, bescheidene Frau.

57
Raja schrieb zurück, daß die schönen Charakterzüge der Lena, womöglich auch ihr Talent, sie disqualifizierten. Um in die Geschichte eintreten zu können, brauchten die Frauen nicht dringlich Kunst, sondern ein Genie. Beispielsweise eine Prophetin.

58
Wibke war noch keine Frau, als Valeska sie kennenlernte. Wollte aber schnellstens eine sein. Dämonisch bemaltes Kindergesicht. Zigarettengeräucherte Reden, mit »Frustration« und ähnlichen Modewörtern reichlich versetzt, miederungehindertes Brüstchenschwenken im Pullover, kostbar abgewetzte Jeans. Wenn sie vergaß, sich angestrengt lässig zu benehmen, um Abgebrühtheit zu suggerieren, und ihre außenpolitische Belesenheit zutage ließ, war der schöne menschliche Entwurf deutlich. Eine mit sich unzufriedene Oberschülerin: sie hielt sechzehnjährige Mädchen, die noch nicht aus Erfahrung mitreden konnten, für Sexmuffel. Deshalb mochte sich Valeska nicht drücken. Obgleich sie zunächst wenig Lust verspürte; sie teilte die Vorliebe junger Männer für Dreißigerinnen, fürchtete sich sogar etwas vor der Arbeit. Aber es waren ihr gewisse solidarische Gefühle von ihrem früheren Zustand geblieben. Vor allem die Erinnerung an ihre Defloration, die so unaufmerksam gemacht worden war, daß Valeska noch heute nur mit Bitterkeit daran denken konnte. Wer so in die Liebe eingeführt wird, kann die Liebesfähigkeit verlieren, noch ehe sie gewonnen ist. Der Brauch lastet solche Frigidität der Natur an, nicht den Brüchen. Wibke erlebte das Ereignis sensationslüstern. Sporternst. Drei Wochen später stellte sie einen Oberschüler ihrer Klasse als Freund vor. Die beiden besuchten Valeska seither regelmäßig.

59
Aber am schönsten von allen weiblichen Nächsten erschien Valeska doch Shenja. Vielleicht, weil die Ahnung des Endes, die den Menschen gemeinhin jenseits des dreißigsten Jahres befällt, seine Erlebnisfähigkeit steigert.

Daß nichts im Leben sicherer ist als der Tod, steigt erst ernstlich ins Bewußtsein im genannten Alter. Plötzlich setzt Zeitgefühl ein. Wibke konnte die Kostbarkeit der Zeit, die Unwiederbringlichkeit des Augenblicks nicht empfinden. Sie wollte mit Valeska durch Milchbars trödeln, möglichst bei allen Gelegenheiten »in« sein. Ihr Gesicht war eine Hohlform: ein lieblicher Entwurf. Shenja trachtete nach Gelegenheiten, die sie außer sich brachten. Geliebt, konnte sie rasen. Ihr Gesicht war ausgeführt. Ausgefüllt. Mit geforderten Lebensreichtümern und Abraum. Die Sitte neutralisierte eine von Abbau gezeichnete Frau, während ein Mann mit grauen Schläfen als interessant gewertet wurde. Und für eine junge Frau selbstverständlich zumutbar. Im umgekehrten Fall sprach man von »Mumienschändung« und »Großmutter besteigen«. Kein Wunder, daß Shenja privat vom Wunder geradezu entzückt war.

60

Eines Tages reiste sie mit dem Flugzeug an, weil sie mit Valeska eine Nacht verbringen wollte. Da fiel Valeska das Gefühlsfeuerwerk der Freundin aufs Gewissen. Denn sie konnte nicht gleichwertig erwidern. Shenja war ihr zu vertraut, trotz Verwandlung eine Art Ich-Form. Auch mit größter Anstrengung gelang es Valeska nicht, den Nazißmus ins leidenschaftliche Stadium zu steigern. Sie betrauert den Verlust der alten freundschaftlichen Beziehung. Denn sie hatte einst mit Neid von historischen Männerfreundschaften gelesen, die, ohne schwul zu sein, von schöner Heftigkeit waren: ein gemeinsames Unternehmen befestigte sie. Bestenfalls eine Idee. Sie auszubauen und zu verteidigen band. Solcherlei Tätigsein von Männern und Frauen war meist kurzlebig, denn von Sexgewittern bedroht. Freundschaften unter Frauen aber waren noch seltener als Solidarität. Auch weil Freundschaften Zeit brauchen. Das Hobby der meisten Frauen war die zweite und dritte Schicht: Haushalt, Kinder. Valeska und Shenja aber hatten trotz des täglichen Wegs von der vielfältigen bodenständigen Tätigkeit der Haushälterei zu jenen gewissen Erhebungen, wo sich Gedanken nun mal aufhalten, die Kraft zu einer großen Freundschaft aufgebracht. »Ich gebs auf«, sagte Valeska in dieser Nacht. »Wenn ich für mein Gesicht derart teuer zahlen muß, pfeif ich drauf. Das Mannsein nützt mir ohnehin wenig, wenn mir nicht auch meine Vergangenheit samt Rollenerziehung weggezaubert ist. Eine Frau mit männlicher Vergangenheit müßte man sein!« Shenja ließ jäh von ihr ab. Starr vor Schreck. Die Augen angstweit auf Valeskas Körper gerichtet. Als ob eine Katastrophe zu erwarten wäre. Es ereignete sich aber nichts. Beim Abschied bestärkt Shenja Valeska inständig, sich nicht abzubringen oder abbringen zu lassen vom ungeheuerlichen Weg, sondern sich unbeirrt Natur anzueignen, zuerst die eigene: die Menschwerdung in Angriff zu nehmen.

61

Aber auch Lena, Wibke und andere freundliche Berührungen bekämpften Valeskas Sehnsucht nach dem schönen Luxus Rudolf vergeblich. Die Angst, von ihm entdeckt zu werden, blieb.

62

Valeska vergrub sich in ihrer Wohnung. Relativ arbeitsfähig durch die Nachricht, daß Rudolf in Moskau an Scharlach erkrankt wäre und im Krankenhaus läge. Das angenehme Bewußtsein, an einer Erfindung mitzuarbeiten, die die Raubtiereigenschaften des Menschen überflüssig werden lassen könnte, erleichterte die Last des Novemberwetters. Dieses Abwärtsstürzen dem Winter zu, dem zunehmenden Lichtmangel. Rudolf hatte Valeskas Lieblingsgedanken über mögliche sittliche Folgen der Forschungen stets für sentimental und Fleischer durchaus für einen menschlichen Beruf gehalten. Die Herstellung synthetischer Lebensmittel anstelle des unrationellen Umwegs über die tierische Fleischproduktion erschien ihm vor allem ökonomisch folgenschwer. Valeska erhoffte sich von einer zukünftigen industriellen Nutzung der Industriearbeiten gewaltverzichtende Gewohnheiten, eine Vermenschlichung des Menschen. Mit dieser Handschrift wünschte sie in die Historie einzutreten. Während sie Kurvenwerte auf Tabellen übertrug, wurde ihr bewußt, daß das Wunder gleichen Zielen dienlich sein könnte. Auf erpresserische Weise.

63
Da begann sie mit der Aufzeichnung der guten Botschaft.

64
Und vergaß beim Schreiben Essen, Angst und Vorsicht.

65
Also daß sie ein Klingelzeichen von ihren Vorsätzen ab dazu bringen konnte, die Wohnungstür zu öffnen.

66
Rudolf stand vor ihr. Trat ein wie gewöhnlich. Küßte Valeska wie gewöhnlich. Legte seine und ihre Kleider ab wie gewöhnlich.

67
Später fiel Valeska ein, daß sie Angst haben mußte. Später fiel Rudolf auf, daß die nackte Valeska verkleidet war.

68
Da erkannten sie, daß sie notfalls die Bilder entbehren konnten, die sie sich voneinander und die andere für sie gemacht hatten.

69
Da wußten sie, daß sie einander liebten. Persönlich – Wunder über Wunder.

70
Und sie gaben ihre Wohnungen auf und bezogen eine gemeinsame. Und sie lebten drin in idealen ehelichen Zuständen.

71
Mit Arno. Er wunderte sich über das Wunder am wenigsten, ihm erschien die Welt sowieso wundervoll. Unaufgefordert versuchte er, drei Erzieherinnen des Kindergartens, die nicht Arnos Gruppe betreuten, zur Verwandlung zu überreden. Da sich Valeskas Verhalten zum Sohn nicht geändert hatte, nannte er sie »Mama« wie bisher. Verfolgte allerdings Rudolf weniger mit Eifersucht.

72
Um die landläufigen moralischen Vorstellungen nicht zu verletzen, legte Valeska übrigens die männliche Körperform während des Beischlafs vorübergehend ab. Indem sie einen Eßlöffel Baldriantinktur schluckte und sich für einen Augenblick konzentriert als aus einer männlichen

Rippe gefertigt vorstellte. Rudolf liebte den penetranten Geruch aus unerotischen Gründen. Er hoffte jedesmal, daß Valeska den weiblichen Zustand anschließend noch eine Weile beibehielte. Weil er sich mal von der jetzt selbstverständlichen Gerechtigkeit bei der Verteilung häuslicher Pflichten erholen wollte. Vielleicht schlief er so häufig mit Valeska, weil er sich so sehr nach Erholung sehnte. Valeska entsprach seinem Wunsch bisher nicht. Sie legte den männlichen Körper wieder an mittels Kaffee, Gesicht des eignen Gesichts und Worten, wie angegeben.

73

Raja, Polina und Lena bewiesen Valeska mit Eigenversuchen, die ihnen nach dem Studium der guten Botschaft leicht glückten, daß die Worte »man müßte ein Mann sein« für das Gelingen der Verwandlung nicht unbedingt erforderlich sind.

Meine Lehre, die den Frauen den Glauben an sich und die folgende beschriebene Verwandlung nahelegt, ist pragmatisch. Shenja hat mir geraten, für die Verbreitung der Lehre Wunder zu tun. Ich habe inzwischen einige eingeübt, kann auf Haaren laufen, Regen machen, Brote vervielfältigen, das wird natürlich nicht genügen. Denn die Menschen glauben große Wahrheiten eher in unwahrscheinlichen Gewändern. Bestünde Aussicht, daß ich die Mehrheit der Frauen für eine vorübergehende Verwandlung gewinnen könnte, falls ich mich ans Kreuz schlagen ließe, wäre mir vielleicht auch dieses Mittel recht. Die Gefahr einer Selbstvernichtung der Menschheit durch Kriege läßt mir jedes friedenserpresserische Mittel als recht erscheinen.

Christa Wolf

Selbstversuch

Traktat zu einem Protokoll

Kein Zweifel: Das Experiment ist geglückt. Sie, Professor: einer der großen Männer dieses Jahrhunderts. Der Ausfall von Tagesruhm kann Sie kalt lassen. Mir geben die Geheimhaltungsklauseln, an die wir gebunden sind, nicht nur die Gewähr für strengste Diskretion im Umgang mit allen Materialien, unseren Versuch betreffend; sie eröffnen mir auch die Freiheit, diese unverlangten Notizen dem Selbstprotokoll beizufügen.

Ausfüllen einer Berichtslücke durch Beschreibung ihres Entstehens: Glänzender könnte kein Vorwand sein, Ihnen diese Mitteilung zu unterbreiten. Der Vor-Wände und Rück-Halte müde, bediene ich mich lieber der unverblümten Rede, die ein zu wenig genutztes Vorrecht der Frauen ist – eine Erkenntnis am Rande aus der Zeit, da ich Mann war; richtiger: Mann zu werden drohte. Meine brühwarme Erfahrung verlangt nach Ausdruck. Froh, daß die Wörter mir wieder zur Verfügung stehen, kann ich es nicht lassen, mit ihnen zu spielen und ihre Vieldeutigkeit zu bestaunen, was mich nicht daran hindern soll, sämtliche Daten, die Sie meinem Protokoll entnehmen können, für exakt und korrekt und eindeutig zu erklären.

Petersein Masculinum 199 ist ein hervorragendes Mittel, geeignet, risikolos und ohne unerwünschte Nebenwirkungen eine Frau in einen Mann zu verwandeln. Die Tests, die unsere Hypothese beweisen, sind genauso, wie Sie uns schon als Studenten die Merkmale eines einwandfreien Tests eingeprägt haben: zuverlässig, empfindlich, gültig. Ich selbst habe sie entworfen. Meine Protokollführung war so gewissenhaft wie möglich. Jedes Wort in meinem Bericht stimmt. Alle seine Sätze zusammen erklären gar nichts: Nicht, warum ich mich für den Versuch hergab; erst recht aber nicht, warum ich ihn nach dreißig Tagen abbrach, so daß ich seit vollen zwei Wochen glücklich

wieder eine Frau bin. Ich weiß, daß die Wahrheit – ein Wort, daß Sie meiden würden – sich von den Fakten jenes Protokolls weit zurückgezogen hat. Sie aber mit Ihrer abergläubischen Anbetung von Meßergebnissen haben mir jene Wörter meiner inneren Sprache verdächtig gemacht, die mir jetzt helfen könnten, der unwirklichen Neutralität dieses Protokolls mit meiner wirklichen Erinnerung zu widersprechen.
»Neugier« sollen Sie gesagt haben. Neugier als angenommenen Grund für mein Einverständnis zu diesem Experiment. Neugier ist eine Untugend von Frauen und Katzen, während der Mann erkenntnishungrig und wissensdurstig ist. Das hielt ich Ihnen vor, und Sie lächelten – anerkennend, wenn ich es richtig deute. Sie leugnen nie, wenn Sie ertappt sind. Aber Sie geben sich alle Mühe, niemals ertappt zu werden.
Und ich wollte wissen, warum.
Jetzt wollen alle von mir hören, welcher Unglücksteufel mich geritten hat, den erfolgreichen Versuch vorzeitig abzubrechen. Warum hat niemand Interesse für die Gründe gezeigt, die mich in diese Tollheit hineingetrieben haben? Sie selber fragten niemals, weder vorher noch nachher. Entweder wissen Sie alle Antworten, oder Sie sind zu stolz, sich durch Fragen eine Blöße zu geben ...
Hätte etwa die Kaderleiterin mit mir reden sollen? Die hatte mit ihren Geheimhaltungsverpflichtungen zu tun. Heute will es mir beinahe verdächtig vorkommen, daß niemand von uns seine Schweigepflicht verletzt hat – wie Komplicen, deren Mund durch ein gemeinsames Vergehen versiegelt ist. – Mein Text unterschied sich von dem der anderen sechs – oder sieben, falls auch Sie in Ihrem Gerechtigkeitsfanatismus unterschrieben haben. Weißes Dokumentenpapier, DIN-A 4-Format, Kopfaufdruck:

Akademie der Wissenschaften. Daß ich: getragen von . . ., geleitet von . . . (Fortschritt der Wissenschaften, humanistische Ziele und so weiter), mich freiwillig als Versuchsperson (»im folgenden Vp«) zur Verfügung gestellt habe. Ich unterschrieb es, also ist es wahr . . . auf den Risikofaktor aufmerksam gemacht worden sei. Ich unterschrieb. . . . Daß etwaiges »teilweises oder gänzliches Mißlingen« des Experiments die Akademie zu sämtlichen anfallenden Ersatz- und Entschädigungsleistungen verpflichte. (Was hatten Sie oder die Kaderleiterin sich unter »teilweisem Mißlingen« bloß vorgestellt?)
Erheitert und zornig unterschrieb ich, und die Kaderleiterin sah mir mit Entsetzen und Begeisterung dabei zu, während Ihre Sekretärin hinter meinem Rücken den bei jeder Auszeichnung und Ernennung fälligen Nelkenstrauß auswickelte.
Daß ich fast über die Maßen gut geeignet war zur Versuchsperson, wußte ich selbst: Alleinstehend. Ohne Kind. Nicht im idealen, aber in noch brauchbarem Alter: dreiunddreißigeinhalb. Gesund. Intelligent. Doktor der Physiopsychologie und Leiterin der Arbeitsgruppe GU (Geschlechtsumwandlung) im Institut für Humanhormonetik, in dieses Forschungsprogramm also eingeweiht wie kein zweiter außer dem Institutsleiter selbst. In den einschlägigen Meß- und Beobachtungstechniken und im Gebrauch des zuständigen Fachjargons geschult. Schließlich: Imstande, männlichen Mut und mannhafte Selbstüberwindung aufzubringen, die beide zu ihrer Zeit gefragt sein würden.
Eines halte ich Ihnen zugute: daß Sie nicht versucht haben, meine verfluchte Pflicht und Schuldigkeit in ein Vorrecht umzulügen. So entfiel die letzte Gelegenheit, wütend zu werden, mich zu wehren, abzuspringen. Wie wehrt man

sich mitten in einer Arbeitsbesprechung gegen die Überreichung eines Aktendeckels durch den Institutsleiter? Gar nicht. Man nimmt ihn. Ein fester Aktendeckel, der alles Material zur Information der künftigen Versuchsperson enthält und den jedermann hier kennt. Während keiner ahnt, daß sein genaues Duplikat in meinem eigenen Tresor liegt und Sie sich darauf verlassen, daß ich meine Gesichtszüge zu beherrschen weiß. Wir gönnen unseren Mitarbeitern die Rührung, die sie nun endlich überkommen darf.

Wir schrieben Montag, den 19. Februar des Jahres 1992, ein trüber Monat, dessen Sonnenmittel unter dem des Durchschnitts der letzten fünfzig Jahre lag. Doch als wir den Beginn des Experiments auf den 4. März festgelegt hatten und Sie die Sitzung beendeten, indem Sie mir unüblicherweise stumm die Hand drückten, schien ungefähr zehn Sekunden lang die Sonne in Ihr Arbeitszimmer. Handschlag und Lächeln und Kopf hoch und maßvoll und vernünftig sein: Da stand ich wieder mal und sah alles ein. Auch, daß es unrentabel gewesen wäre, zuerst ein Präparat zur Verwandlung von Männern in Frauen zu entwickeln, weil sich für ein so abwegiges Experiment keine Versuchsperson angefunden hätte ...

Die eine Minute, die Sie sich nach der Sitzung noch von mir erbaten, haben Sie um dreißig Sekunden überschritten, um mir zu sagen – was ich natürlich wußte – daß auch Petersein *minus* masculinum 199 ein zuverlässiges Mittel sei und, sobald ich es wünschte, meine Rückverwandlung noch vor der vorgesehenen Frist von drei Monaten bewirken werde. Sonst ist nichts vorgefallen – kein Zeichen, kein Blick, nicht einmal ein Blinzeln. Ihrer undurchdringlichen Miene setzte ich mein gefaßtes Gesicht entgegen, wie wir es lange geübt hatten.

Mein Freund Doktor Rüdiger, den Sie als Wissenschaftler schätzen und doch eine Spur zu lasch finden, hatte den rettenden Einfall, mich, als ich aus Ihrem Zimmer trat, von Kopf bis Fuß mit einem unverschämten Männerblick zu mustern, einen ordinären Pfiff auszustoßen und zu sagen: Schade, Puppe! – Das ging. Das war das einzige, was ging, hielt aber nur einen Augenblick lang vor. Die vierzehn Tage, die uns blieben, füllten wir mit bodenlosen Banalitäten aus, mit Albernheit und Dollerei, die Sie womöglich für Heiterkeit nahmen. (Inzwischen verriet jeder sich, so gut er konnte: Rüdiger ging dazu über, mir die Hand zu küssen, die Laborleiterin Irene »vergaß«, mir ihre kleine Tochter zu bringen, wenn sie selbst über Nacht einen Mann beherbergte, und Beate – der beste weibliche Chemiker, den Sie kennen, Professor – ließ durchblicken, daß sie mich beneide. Verschonen Sie mich mit diesen Steinzeit-Miasmen, werden Sie sagen. Unbeherrschtheiten, Stimmungen, alle Arten von Entgleisungen. Es sollte mich aber wundern, wenn Sie all die zehn Jahre über – seit Sie mich kurz vor dem Examen mit diesem Satz programmierten – eine einzige Zügellosigkeit an mir bemerkt hätten. Dafür durfte ich einer Äußerung Ihrer Sekretärin entnehmen, daß ich Ihnen jeden männlichen Wissenschaftler ersetze . . .
Einmal, am Sonnabend, zwei Tage vor Beginn des Experiments, hätte ich Sie fast noch angerufen. Als ich allein »in den Wolken« saß – das ist Irenes Ausdruck, die ja zwei Stockwerke tiefer wohnt, also im 15. –, hinter der riesigen Glasscheibe meines Wohnzimmers; als es dunkel wurde und immer zahlreicher die Lichter unserer Wissenschaftssiedlung und dahinter die der Stadt Berlin zu mir heraufkamen, da trank ich einen Cognac – was gegen die Direktiven verstieß –, betrachtete minutenlang das Licht

in Ihrem Arbeitszimmer, das ich aus allen Lichtern herausfinde, und hatte auch schon die Hand am Hörer. Ich wählte Ihre Nummer, hörte einmal das Amtszeichen und dann sofort ihre Stimme, vielleicht um eine Idee weniger unpersönlich als sonst. Da Sie nicht auflegten, obwohl ich mich nicht meldete, aber auch nichts sagten, konnte ich Sie atmen hören, und Sie mich vielleicht auch. Ich dachte entlegene Sachen. Wußten Sie, daß das Wort »traurig« etwas mit fallen, sinken, kraftlos werden zu tun hat? Während »verwegen« ursprünglich nichts anderes bedeutet, als Richtung auf ein bestimmtes Ziel zu nehmen – und zwar frisch entschlossen. Was ich ja war, als ich, neunzehnjährig, in meiner ersten Vorlesung bei Ihnen mit großen Buchstaben das Wörtchen ICH auf einen Zettel kritzelte, den ich Rüdiger zuschob. Sie nämlich, Professor, hatten gerade scherzhaft die Vermutung geäußert, unter uns jungen Dingern, »unschuldig und nichts weiter« sitze womöglich die Person, die sich in zehn, fünfzehn Jahren durch ein noch zu erfindendes phantastisches Mittel in einen Mann verwandeln lassen werde. ICH. – VERWEGEN! schrieb Rüdiger daneben. – Verstehen Sie nun, warum mir daran lag, gerade ihn in unsere Arbeitsgruppe zu ziehen? Nach einer Minute legte ich den Hörer auf, ging ins Bett, schlief sofort, wie ich es eisern trainiert hatte (erst jetzt versagt das Training, merkwürdigerweise), verbrachte einen disziplinierten Sonntag nach vorgeschriebener Zeiteinteilung mit notwendigen Vorbereitungen, bei festgelegten Mahlzeiten, angeordneten Messungen und Notierungen, die, wie sich am Abend zeigte, vollkommen ihren Zweck erfüllten: Auch ich unterlag der Suggestion, einen geregelten, zufallsfreien Tagesablauf mit dem gesetzmäßigen Walten höherer Notwendigkeiten zu verwechseln, die uns Unruhe, Angst und Zweifel abnehmen. Wenn es keine

Wahl mehr gibt, kann man manchmal erfahren, warum wir tun, was wir tun. Da fielen alle meine guten und schlechten Gründe nicht mehr ins Gewicht gegenüber dem einen, der allein ausreichte: daß ich hinter Ihr Geheimnis kommen wollte.

Am Montag früh war ich pünktlich im Institut und erhielt um sechs Uhr in einer angemessenen sachlichen Atmosphäre die erste Injektion von Ihnen, die mich einschläferte und die Verwandlung einleitete, welche durch neun weitere, in Fünf-Stunden-Abständen verabreichte Dosen von Petersein masc. 199 vollendet wurde. Mir ist, ich träumte derweilen, obwohl Träumen das richtige Wort nicht sein mag. Aber man wird der Sprache nicht vorwerfen dürfen, daß sie kein Wort bereithielt für jene verschwommenen Übergänge, in die ich geriet und die in mir als Schwimmen am Grunde eines hellgrünen, von seltsam schönen Pflanzen und Tieren belebten Wassers gespiegelt wurden. Was da schwamm, kann am ehesten ein Pflanzenstengel gewesen sein, dem allmählich Flossen und Kiemen wuchsen, bis es ein schlanker, schöner, glatter Fisch war, der sich leicht und wohlig überall im Wasser zwischen den grünen Stielen und Blättern bewegte. Mein erster Gedanke beim Erwachen war: Nicht Fisch, nicht Fleisch. Und dann sah und erkannte ich schon unsere elektronische Uhr und las von ihr Datum und Zeit ab: Es war der 6. März 1992, drei Uhr früh, und ich war ein Mann.

Neben meinem Bett saß Beate: Ein guter Einfall, falls er von Ihnen kam. (Daß Sie buchstäblich in der letzten Minute vor meinem Erwachen erst den Versuchsraum verlassen haben, wußte ich bis vor wenigen Tagen nicht, Professor!) Ich wiederhole: Ihr Präparat ist ausgezeichnet. Benommenheit keine, Übelkeit keine. Körperliches Wohlgefühl und ein unbändiges Bedürfnis nach Bewegung in frischer Luft, das ich ja gleich sollte befriedigen können; denn von den regelmäßigen Tests abgesehen, war mir ein strenges Programm nicht auferlegt, weil wir annahmen, daß ein Mensch in größter Freizügigkeit seine Möglichkeiten am besten kennenlernen würde. Gewissenhafte Protokollführung schien gesichert, da wir bei keinem unserer Affenversuche durch den Geschlechterwechsel je signifikante Änderungen von Charaktermerkmalen festgestellt haben. Eine zuverlässige Äffin vom starken Nerventyp pflegte auch einen zuverlässigen Affen abzugeben.

Verzeihen Sie, ich werde unsachlich. Ohne Grund, übrigens, denn mir war wohl wie lange nicht. Wohl wie einem, dem es endlich gelungen ist, die Lücke im Zaun zu finden. Befreit sprang ich auf, zog meine neuen Kleider an, deren tadelloser Sitz unsere Prognosen über zu erwartende Abmessungen der primären und sekundären Geschlechtsmerkmale glänzend bestätigte, quittierte Beate den Empfang meiner neuen Papiere auf den von Ihnen ausgesuchten Namen Anders und kam endlich nach draußen, auf die noch menschenleere, von Peitschenlampen erleuchtete Hauptstraße. Ich lief zum Sternwartenhügel, stand da oben eine Weile, fand den Anblick des Himmels über die Maßen schön, pries den Fortschritt der Wissenschaft und, warum sollte ich es verschweigen, ihre Verdienste, Professor. Auch lobte ich freudig den Mut jener Frau, die ich noch vor zwei Tagen gewesen war und die, das fühlte ich ja ganz deutlich, wie eine Katze zusammengerollt in mir schlief.

Ich gebe zu, das war mir recht, denn warum die Arme gleich und endgültig verstoßen? Heute frage ich mich aber, ob wir nicht meine Nachfolgerinnen darauf gefaßt machen müssen, daß sie nicht zugleich mit ihrer Mann-

werdung die Zustände ihres Frauendaseins von sich abtun können.
Meine Hochstimmung dauerte eineinhalb Tage und eine Nacht. Dem Versuchsprotokoll entnehmen Sie, daß ich an jenem Morgen langsam – denn ich brauchte vierzig Minuten dazu – vom Sternwartenhügel zu meinem Wohnturm ging. Hatten wir eigentlich vorausgesehen, daß der nagelneue Mann auf die Erinnerungen der ehemaligen Frau angewiesen sein würde? Ich, Anders, dachte jedenfalls unterwegs an den ehemaligen Liebhaber jener Frau, die ich gewesen war. An meinen lieben Bertram, der mir fast auf den Tag genau drei Jahre vorher auf dem Weg vom Observatorium gesagt hatte, daß es einfach nicht mehr ging. Frauen als Wissenschaftler, ja, hohe weibliche Intelligenzquotienten selbstverständlich; aber was einer Frau einfach nicht steht, ist der Hang zum Absoluten. Es ging nicht, daß ich meine Nächte im Institut verbrachte (wir begannen damals mit den Affenversuchen; erinnern Sie sich an die ersten übernervösen weiblichen Tiere?); es ging nicht, daß ich dem Hauptproblem immer wieder auswich. Das Hauptproblem war ein Kind. (Ich war dreißig und gab Bertram recht. Es war der Tag, an dem Sie mir im Vorbeigehen einen Termin für den ersten Humanversuch in Aussicht gestellt hatten: drei Jahre. Und mir die Leitung der neuen Arbeitsgruppe anboten. Ich müsse wissen, was ich wolle. Ich wollte ein Kind. Bertram hat jetzt eines, das ich besuchen kann, so oft ich will, denn Bertrams Frau hat mich gern. Nur stört es mich, daß sie manchmal etwas wie Dankbarkeit gegen mich durchblicken läßt, aber auch Ratlosigkeit: Kann jemand etwas so Kostbares wie diesen Mann in andere Hände übergehen lassen?) Es ging nicht, verflucht nochmal, sagte Bertram – da standen wir vor dem hellerleuchteten Urania-Kulturpalast, es war ein

schöner durchsichtiger Mai-Abend, und überall die blutjungen Liebespaare –, daß ich niemals Zeit hatte, in seiner großen Familie einen Geburtstag mitzufeiern. Daß ich ihm nichts richtig übelnahm. Daß ich nicht eifersüchtig war. Daß ich ihn nicht mit Haut und Haaren für mich haben wollte, was jeder für einen Mangel an Liebe halten mußte. Ob ich ihm denn nicht ein kleines bißchen entgegenkommen könne. Worauf ich ihn fragte, wohin. In eine gemeinsame, ferngeheizte Drei-Zimmer-Wohnung? Zu gemeinsamen Fernsehabenden und den ewigen Geburtstagsfeiern im Kreise seiner großen Familie?
Am nächsten Morgen übernahm ich die Leitung unserer Gruppe, und in meiner ersten Nacht als Mann konnte ich zum erstenmal ohne Reue daran denken. Das Wort »Unnatur« war damals gefallen und konnte nicht mehr weggezaubert werden. Eine Frau, die den eigens für ihr Geschlecht erfundenen Kompromiß ablehnt; der es nicht gelingen will, »den Blick abzublenden und ihre Augen in ein Stück Himmel oder Wasser zu verwandeln«; die nicht gelebt werden will, sondern leben: Sie wird erfahren, was schuldig sein heißt. Wenn es dir man nicht nochmal leid tut. Es hat mir leid getan, schon, als Bertram vor meiner Haustür kehrt machte. Und nun, als Mann an der gleichen Stelle, tat mir nichts mehr leid. Was ich fühlte, war Dankbarkeit.
Haben Sie eigentlich meine Taktik in den letzten drei Jahren durchschaut? Um Ihr Mittel auszuprobieren, brauchen Sie eine wie mich. Ich wollte Sie dahin bringen, daß Sie *mich* brauchten. Meinen Wert als Frau hatte ich zu beweisen, indem ich einwilligte, Mann zu werden. Ich nahm ein bescheidenes Wesen an, um zu verbergen, daß ich meine absurde Lage begriff.
Dem Hausmeister meines Hauses habe ich mich noch an

jenem ersten Morgen als mein eigener Cousin vorgestellt, der während einer Dienstreise seiner Cousine verabredungsgemäß deren Wohnung bewohnen wollte und unter der Spalte »Dauerbesucher« sofort ins Hausbuch eingetragen wurde. Keine Menschenseele hat die Mieterin von Wohnung Nummer 17.09 vermißt und den neuen Nachbarn zur Kenntnis genommen. Insofern klappte alles wie am Schnürchen.

Wie immer stellte ich mich oben sofort an mein großes Fenster. Im Schrank nebenan hingen die Anzüge eines Mannes, im Bad lagen eines Mannes Toilettensachen. Ich aber stand und suchte mit dem Blick der Frau das Fenster Ihres Arbeitszimmers, das zu meiner Genugtuung als einziges in der langen Front des Institutsgebäudes erleuchtet war, dann aber, als sei das Licht bei mir ein Signal für Sie gewesen, schnell dunkel wurde. Da suchte ich, Anders, das Lächeln zustande zu bringen, über das ich als Frau verfügt hätte. Es war noch in mir, ich konnte es deutlich fühlen. Zugleich aber spürte ich, wie es mir auf meinem Gesicht mißlang.

Es war der erste, ganz kurze Anfall von Verwirrung. Das kann ja heiter werden, sagte ich halblaut und ging mich duschen, wobei ich mit meinem neuen Körper Bekanntschaft, ja Freundschaft schloß, denn als Mann war ich genauso ansehnlich, wohlgestaltet und gesund wie als Frau. Eine häßliche Person hätten wir, um unsere Methode nicht in Mißkredit zu bringen, zu diesem Versuch auch nicht zugelassen . . .

Ressentiments? Doktor Rüdiger war der erste, der mir Ressentiments vorwarf. Aber vorher hatte er seinen Spaß an meiner Anekdote über die »Kleine von nebenan«, die ich am Morgen im Fahrstuhl getroffen und, da sie mich anseufzte, gefragt hatte, was ihr denn fehle. Worauf ich einen Blick erhielt, der einen Regenwurm zum Manne gemacht hätte. Bloß daß die allerangenehmsten Empfindungen in mir nicht zu ihrer vollen Entfaltung gelangten wegen des weiblich-spöttischen Gedankens: Sieh mal an, es funktioniert! – Darum erzähle ich das. Sie sollen nicht denken, Ihr Mittel hätte in irgendeinem und gerade in diesem allerwichtigsten Punkt versagt. Ich bin es gewesen, ich: die Frau, die mit Spott oder Empfindlichkeit oder einfach durch Ungeduld die männlichsten Triumphe des Herrn Anders sabotierte. Ich: die Frau, habe ihn gehindert, der »Kleinen von nebenan« ihr Handtäschchen aufzuheben (war »ich« nicht die Ältere?), Fehler auf Fehler gehäuft, bis der Blick der Kleinen zuerst ungläubig, dann eisig wurde. Ja, mein Lieber – so sprach Doktor Rüdiger jetzt mit mir – nun folgen die Tage der Rache. Über meinen Verlust hat er sich eigentlich schnell getröstet. Er fand mich passabel und wollte erst den Reaktionstest hinter sich bringen, der eindeutig bewies, daß meine Sinne brav weiter so reagierten, wie meine subjektiv genormte Skala es erwarten ließ. Blau war für mich blau geblieben, und eine Flüssigkeit von 50 Grad heiß, und die dreizehn verschiedenen sinnlosen Gegenstände auf unserem Versuchstisch konnte ich mir nicht schneller merken als vorher, was Rüdiger leicht zu enttäuschen schien. Beim Ergänzungstest dann, als manche meiner neuen Antworten sich von den alten unterschieden, wurde er lebhaft. Der Verlust an Spontaneität erklärte hinreichend die verlängerten Zeiten: Sollte ich als Frau antworten? Als Mann? Und wenn als Mann: Wie denn, um Himmelswillen? So daß ich schließlich auf »rot« nicht »Liebe« sagte, wie sonst immer, sondern »Wut«. Auf »Frau« nicht »Mann«, sondern »schön«. Auf »Kind« »schmutzig« anstatt »weich«, und auf »Mädchen« nicht »schlank«, son-

dern »süß«. Olala, sagte mein Freund Rüdiger, ganz schön schon, mein Lieber.
Nun wollten wir essen gehen. Die langen Institutsgänge herunter zur Kantine, in ein lockerentspanntes Gespräch vertieft, ein Arm Rüdigers im Eifer der Unterhaltung zwanglos um meine Schulter gelegt. Zwei gute Kumpel. Gemeinsamen Bekannten wurde ich mit Genuß als Fachkollege und Gast vorgestellt, und wenn sie fragten, ob nicht irgendein Zug in meinem Gesicht ihnen bekannt vorkomme, wurden sie ausgelacht. Hinter Ihrer Türe, Professor, herrschte Stille. Sie bogen um keine Ecke. Sie saßen nicht in der Kantine. Neugier war Ihre Schwäche nicht. So haben Sie nicht gesehen, wie ich Eisbein mit Erbspüree essen mußte, was Doktor Rüdiger für den Beweis von eines Mannes Männlichkeit hält.
Zum ersten-, aber nicht zum letztenmal kam mir der Gedanke, mein Gegenüber habe sich durch meine Verwandlung stärker verändert als ich selbst. Nur Sie, wahrhaftig, sind sich gleich geblieben. Doktor Rüdiger gab seine Genugtuung über meine »Neufassung« nicht nur unumwunden zu, sondern war auch bereit, sie zu begründen. Das Rachemotiv sei natürlich ein Scherz gewesen. Obwohl mir ein kleines bißchen Strafe vielleicht ganz gut täte. Wofür? Für meinen gottverdammten Hochmut natürlich. Für das schlechte Beispiel, daß ich anderen Frauen durch meine freiwillige Ehelosigkeit geliefert hatte, so der um sich greifenden Ehe-Unlust des schwachen Geschlechts Vorschub leistend und die Rebellion gegen die Langeweile und Unproduktivität der Ehe verstärkend. O nein, er sitze keineswegs im Glashaus. Ein Mann als Junggeselle – wie er zum Beispiel – sei ein freier Mensch, der niemandem etwas wegnehme. Er konnte ja nicht ahnen, Doktor Rüdiger, daß mein weiblicher Instinkt

mich noch nicht verlassen hatte und mir signalisierte, daß so nach Rache lechzt, wer sich gedemütigt fühlt. Es kränkte ihn schrecklich, daß er mich, auch wenn er es gewollt hätte, nicht hätte kriegen können, weil keiner mich hatte.

So unternahm er allen Ernstes den Versuch, mich zum Manne zu bekehren, während wir Apfelkuchen aßen und Kaffee tranken. Problemgeladene Frauen mag Doktor Rüdiger nicht besonders – und wer mag die schon? Sie mögen sich ja nicht mal selbst, sofern sie intelligent genug sind, die Zwickmühle zu sehen, in der sie stecken, zwischen Mann und Arbeitsdrang, Liebesglück und Schöpfungswillen, Kinderwunsch und Ehrgeiz ein Leben lang zickzack laufen wie eine falsch programmierte kybernetische Maus. Verkrampfungen, Verklemmungen, Aggressivitäten, wie man sie, als bekümmerter Freund, in meinen letzten Jahren als Frau an mir habe beobachten müssen ... Kurz und gut: Ich sollte bloß nicht so hirnverbrannt sein, in die Fallgrube zurückzuplumpsen, der ich glücklich entronnen war!

Du willst mich ja zum Mann bekehren, sagte ich und mußte lachen.

Siehst du, sagte Doktor Rüdiger, jetzt kannst du es dir leisten, so etwas komisch zu finden. – Da wir schon bei Witzen sind, sagte ich: Ob du nicht einfach einer Frau als Leiter überdrüssig bist? – Dies, entschied Rüdiger, sei kein Witz, sondern gewöhnliches Ressentiment. Wogegen es Humor war, wenn er mir nach Tisch eine von seinen starken Kuba-Zigarillos anbot.

Da sah ich Irene und Beate quer durch die Kantine auf unseren Tisch zusteuern, Irene mit ihrem schlaksigen Gang und dem ewigen grünen Pullover, Beate neuerdings

aschblond, was ihr ohnehin helles Gesicht nicht hebt. Ein Blick auf Rüdiger überzeugte mich: Er sah das alles auch. Gleich mußten wir den beiden beteuern, daß wir nicht über sie hergezogen waren. Warum müssen Frauen immer denken, zwei Männer, die zusammensitzen, ziehen über sie her? Weil sie es fast immer tun, sagte Irene. Weil Frauen sich zu wichtig nehmen, Doktor Rüdiger. Weil Frauen eben von Natur aus Minderwertigkeitskomplexe haben, fand Beate. Ich hörte ihnen zu und hatte keine Meinung, lebte im Unschärfebereich des Niemandslandes und hatte nichts als ein erstes bißchen Heimweh nach den Ungereimtheiten der Frauen. Irene, die in mir ein mitschuldiges Opfer gewissenloser Abwerbung sah, warnte mich vor den Bestechungsversuchen, denen ich ausgesetzt sein werde, um mir den Verrat von Geheimnissen abzunötigen, die ohne mich nie ein Mann erfahren würde. – Ich zweifelte, aber Doktor Rüdiger lieferte als Beleg eine Geschichte aus dem klassischen Altertum:
Teiresias, ein Grieche, sah einst zwei Schlangen sich begatten und verwundete die eine. Zur Strafe wurde er in ein Weib verwandelt und hatte Umgang mit Männern. Dem Gott Apoll tat er leid. Er gab ihm einen Wink, wie er wieder ein Mann werden könne: Er müsse denselben Schlangen noch einmal zusehen und die andere verwunden. So tat Teiresias und gewann sein wahres Geschlecht zurück. Zur gleichen Zeit aber stritten sich die großen Götter Zeus und Hera über die Frage, wer bei der Umarmung die größere Luste empfände, Mann oder Weib. Als kompetenten Richter riefen sie schließlich Teiresias. Der behauptete, der Mann empfände ein Zehntel der Wollust; das Weib aber koste die volle, ganze Lust aus. – Hera, erzürnt über den Verrat des streng gehüteten

Geheimnisses, blendete den unglücklichen Teiresias. Zum Trost verlieh der große Zeus dem Blinden die Gabe des Sehers.
Das kurze Schweigen an unserem Tisch legte die Vermutung nahe, daß jeder einen ersten Gedanken für sich behielt (der meine war, merkwürdig genug: Wer wird mich blenden?). Der zweite war bei allen ein Ausruf, der aber Verschiedenes bedeutete, wie ja überhaupt Doktor Rüdigers Geschichte alles andere als eindeutig ist. Irene glaubte mich warnen zu müssen vor den Strafen, die auf Verrat von Weibergeheimnissen stehen. Wieso nur? sagte Beate leise. Teiresias hat doch gelogen ...
Eine Unterhaltung unter Männern kann niemals das gleiche sein wie ein Gespräch zwischen gemischten Teilnehmern. Mein Hochgefühl war dahin. Statt dessen eine Empfindung von Leere, in Brusthöhe lokalisierbar. Kein Wunder. Aber was mich unsicher machte, war nicht das Fehlen eines weiblichen Organs, der Brust, sondern das Fehlen der abschätzenden Männerblicke, die einem anzeigen, daß man »da« ist.
Ich gebe Stichproben, Sie verstehen, und immer habe ich Angst, Sie zu langweilen. Es ist mir nie gelungen, mich als Spion zu fühlen, der mit der vollkommensten aller Tarnkappen im Hintergrund des Gegners operierte. Dafür bekam ich Schwierigkeiten mit der Anwendung aller Ableitungen des Personalpronomens »ich«. Daß es die Erwartungen unserer Umwelt sind, die uns machen – wer wüßte das nicht? Aber was war all mein Wissen gegen den ersten Blick einer Frau, der mich traf? Gegen meine ersten Gänge durch die Stadt, die mich nicht erkannte und mir fremd geworden war? Mann und Frau leben auf verschiedenen Planeten, Professor. Ich sagte es Ihnen – erinnern Sie sich? –, und Sie warfen mir Subjektivismus vor und

erwarteten meinen Rückzug und die Beteuerung, daß ich wie üblich meine Sinneseindrücke und Empfindungen Ihrer Deutung umwerfen würde. Da habe ich Sie zum erstenmal enttäuscht. Die alten Tricks kamen nicht auf gegen meine neue Erfahrung. Ich wollte doch einmal sehen, was dabei herauskam, wenn ich bei meiner Meinung blieb. Wenn ich nicht gleich wieder anfing, mich schuldig zu fühlen: schuldig eines irreparablen Charakterfehlers, der uns Frauen, so leid es den Männern tut, unfähig macht, die Welt zu sehen, wie sie wirklich ist. Während Sie sie in ihrem Fangnetz aus Zahlen, Kurven und Berechnungen dingfest gemacht haben, nicht wahr? Wie einen ertappten Sünder, mit dem man sich nicht weiter einlassen muß. Von dem man sich distanziert – am raffiniertesten mittels einer unübersehbaren Aufzählung von Fakten, die wir als wissenschaftliche Berichte ausgeben.

Wenn Sie es so verstehen, Professor, haben Sie recht mit Ihrer scherzhaften Behauptung, scientia, die Wissenschaft, sei zwar eine Dame, sie besitze aber ein männliches Gehirn. Jahre meines Lebens hat es mich gekostet, mich jenem Denken, dessen höchste Tugenden Nichteinmischung und Ungerührtheit sind, unterwerfen zu lernen. Heute habe ich Mühe, mir wieder Zutritt zu verschaffen zu all den verschütteten Bezirken in meinem Innern. Die Sprache, das wird Sie wundern, kann mir helfen, mit ihrer Herkunft aus jenem erstaunlichen Geist, dem »urteilen« und »lieben« ein einziges Wort sein konnte: »meinen«. Immer haben Sie mir die Trauer über Unabänderliches verwiesen. Und doch ergreifen mich die Schicksale mancher Wörter; und doch peinigt mich mehr als alles andere die Sehnsucht, Verstand und Vernunft, im liederlich-schöpferischen Schoß der Sprache einst ein- und dasselbe,

durch uns miteinander zerstritten, wieder brüderlich vereint zu sehen . . .
Nie wäre ich, Anders, darauf verfallen, die gleichen Gegenstände mit denselben Wörtern zu benennen, mit denen ich, als Frau, sie einst bezeichnet hatte, wenn mir nur andere Wörter eingefallen wären. Zwar erinnerte ich mich, was ihr »Stadt« war: eine Fülle immer wieder enttäuschter, immer sich erneuernder Hoffnung. Ihm – also mir, Anders – eine Ballung unausschöpfbarer Gelegenheiten. Er – also ich – war betäubt von einer Stadt, die mich lehren wollte, daß es meine Pflicht war, Eroberungen zu machen, während die Frau in mir noch nicht die Technik verlernt hatte, sich zu zeigen und, falls die Situation es so wollte, klein beizugeben.
Die Autogeschichte wird Sie nicht überzeugen, aber spaßig ist sie vielleicht doch. Daß Frauen einen mangelhaft entwickelten Orientierungssinn haben und daher, selbst bei guten technischen Fertigkeiten, keine guten Fahrer sind, sagte mein Fahrlehrer in der ersten Stunde, um mich auf die zwiespältigen Reaktionen anderer Verkehrsteilnehmer – und zwar Frauen und Männer – auf die Frau am Steuer vorzubereiten. Ich begann also, mich in Gegenden zu verirren, die ich früher zu kennen glaubte, und mich damit abzufinden, daß Autofahren anstrengend ist. Bis mich, zu Beginn meiner zweiten Woche als Mann, mein Motor mitten auf der verkehrsreichen Kreuzung am Alexanderplatz im Stich ließ und mir nichts anderes übrigblieb, als den Verkehr zu blockieren, auf die schrillen Pfiffe und das geringschätzige Achselzucken des Verkehrspolizisten, auf das Hupkonzert hinter mir und die höhnischen Zurufe der Vorbeifahrenden zu warten. Ich glaubte zu träumen, als der Polizist mit Pfiff und Handzeichen meine Fahrtrichtung sperrte, von seiner Verkehrskanzel herunterstieg

und mich fragte, wo es denn fehle, wobei er mich mit »Meister« anredete, als ein paar Fahrerkollegen aus anderen Wagen ohne viel Federlesens das Unglücksauto von der Kreuzung schoben und niemand Lust zeigte, mein dringendes Bedürfnis nach Belehrung, Strafpredigt und Strafmandat zu befriedigen. Wollen Sie mir glauben, daß es für mich keine Orientierungsschwierigkeiten mehr gibt?

Doch zurück zu meinem Planeten. Wo hätte ich in dem Protokoll mein nicht nachweisbares Empfinden eintragen sollen, daß mir als Mann die Erdenschwere leichter wurde? Während jene blutjunge Studentin eines Abends auf menschenleerer Straße ohnmächtig neben mir zu Boden sank. Mit unbegründet schlechtem Gewissen half ich ihr auf, führte sie zu einer Bank und bot ihr – die selbstverständlichste Sache der Welt – eine Erholungspause in meiner nahegelegenen Wohnung an. Worauf sie mich empört musterte und »naiv« nannte. Ich habe später nachgesehen: Naiv hieß früher sovie wie »angeboren, natürlich« – aber hätte ich dem Mädchen von angeborener Freundlichkeit oder natürlicher Hilfsbereitschaft reden können, ohne ihre Erbitterung gegen uns Männer noch zu steigern? Ich hatte das Unglück, mich auf ihren »Zustand« zu berufen, denn daß sie schwanger war, sah jede Frau auf den ersten Blick. Ich aber war keine Frau, mir konnte sie nur die Verachtung zeigen (»Was denn für ein Zustand!«) und mich abblitzen lassen. Da stand ich, wie vor den Kopf geschlagen, zum erstenmal im Leben für mein Geschlecht beleidigt. Ich begann mich zu fragen, was ihr eigentlich mit uns angestellt habt, daß wir es euch aus Rache verwehren müssen, freundlich zu uns zu sein. Wenig beneidenswert schien mir eure Verstrickung in die Unzahl eurer nützlichen Tätigkeiten, da ihr doch tatenlos zusaht, wie die Wörter »menschlich« und »männlich«, einer Wurzel entsprungen, unrettbar weit voneinander weggetrieben.

»Unrettbar« sagte Irene: So kategorisch bin ich nicht. Sie kam, um ihre Melancholie mit der meinen zusammenzutun, in meinen siebzehnten Stock. Ein Wein hat sich uns öfter dabei als hilfreich erwiesen, Musik, hin und wieder der Fernseher. Der führte uns die Probleme einer überlasteten Lehrerin, Mutter von drei Kindern, mit ihrem phlegmatischen Ehemann vor, einem Haushaltsgerätekonstrukteur. Der Autor dieses Films, leider eine Frau, gab sich alle Mühe, durch ein bedarfsgerechtes Sortiment an Küchen- und Haushaltsmaschinen gleichzeitig die Planerfüllung des Betriebes und die Ehe der Lehrerin in Ordnung zu bringen. Irene muß sich fragen, ob nicht der ganze Schlamassel, in dem sie steckt, seine schlichte Erklärung in der Seltenheit von Haushaltsgerätekonstrukteuren findet. Den langen, schlaksigen, kraushaarigen Menschen, den sie zwei Monate lang gar nicht so übel gefunden hatte, mußte sie auch wieder wegschicken, wegen seiner Unfähigkeit, erwachsen zu werden. Irene ist aufgebracht über die Mütter von Söhnen und trägt sich mit der Absicht, eine Erziehungsfibel zu verfassen, deren erster Satz lauten soll: Liebe Mutter, Ihr Kind, obwohl ein Sohn, ist schließlich auch ein Mensch. Erziehen Sie ihn so, daß Sie Ihrer Tochter zumuten könnten, mit ihm zu leben. Wie wir uns zusammen noch ein paar Sätze ausdachten, die wir auf einem Zettel notierten; wie wir in Fahrt kamen und uns ins Wort fielen und einer über den anderen lachen mußte; wie Irene sich einen Spaß daraus machte, mich dauernd mit meinem Männernamen anzureden (du, Anders!); und wie sie dann unseren Zettel im Aschenbecher verbrannte, weil es nichts Komischeres gibt als Frauen, die

Traktate schreiben – das alles werde ich nicht in Einzelheiten berichten. Nur daß ich sagte: Frauen? Ich seh hier nur Mann und Frau! Und daß es mir gelang, meiner Frage genau jenen Unterton zu geben, den eine Frau zu dieser Stunde von einem Mann erwarten konnte. Und daß sie nur sehr wenig noch sagte, zum Beispiel, wie schade es jetzt doch sei, daß wir uns von früher kannten. Und daß ich zum Beispiel ihr Haar berührte, das mir schon immer gefallen hatte, glatt und dunkel. Und daß sie noch einmal, du, Anders, sagte: Du, Anders, ich glaub, wir haben keine Chance. Aber vielleicht hat diese verdammte Erfindung von deinem Professor doch ihr Gutes.
Für andere, meinte sie. Und für den Fall, daß gewisse Fähigkeiten den Männern noch weiter verkümmern sollten – wie das Vermögen, uns im wörtlichen wie im biblischen Sinne zu erkennen. Feminam cognoscere. Und er erkannte sein Weib . . . Ja: Höher als alles schätzen wir die Lust, erkannt zu werden. Euch aber ist unser Anspruch die reine Verlegenheit, vor der ihr euch, wer weiß, hinter euren Tests und Fragebogen verschanzt.
Haben Sie die Andacht gesehen, mit der unser kleiner Kybernetiker seinen Computer füttert? Diesmal handelte es sich um die Auswertung der 566 Fragen meines MMPI-Tests, die unserm Kybernetiker Zeit ließ, mich darüber zu trösten, daß wir Frauen auch die Kybernetik nicht erfunden haben – ebensowenig wie vorher das Pulver, den Tuberkulosebazillus, den Kölner Dom oder den »Faust«. – Durch das Fenster sah ich Sie aus der Tür des Hauptgebäudes treten. – Frauen, sagte unser kleiner Kybernetiker, die in der Wissenschaft die erste Geige spielen wollen, sind einfach zum Scheitern verurteilt. Jetzt sah ich erst, wie verzweifelt er darüber war, daß der Erfolg dieses hochwichtigen Experiments, welches zur Reduzierung einer

fragwürdigen Gattung beitragen konnte, ganz und gar in den Händen einer Frau lag. – Unten fuhr der schwarze Instituts-Tatra vor, und Sie stiegen ein. – Unser kleiner Kybernetiker studierte die Auskünfte seines Computers. Zum erstenmal sah ich ihn mir näher an, seine kleine Gestalt mit dem großen Kopf, die schmalen, nervösen, eifernden Finger, die schwächliche Statur, seine verstiegene Redeweise ... Wie mag er als Jüngling unter uns Frauen gelitten haben! – Ihr Wagen hatte den Bogen über den Kieshof beschrieben und war zwischen den Pappeln am Tor verschwunden. – Unser Kybernetiker gab bekannt, daß meine Konditionierung anscheinend zum Teufel gehe. Mich interessierte es verdammt wenig, ob ich noch meine üblichen Reaktionen auf emotionale Reize zustande brachte, aber er wußte nicht, ob es ihn bekümmern oder freuen sollte, daß sein Computer mich für zwei grundverschiedene Personen hielt und mit einer Beschwerde wegen böswilliger Irreführung drohte.
Im Labor sagte mir Irene mit undurchdringlicher Miene, nach Auswertung der letzten Analysen sei ich der männlichste Mann, den sie kenne. Ich stellte mich ans Fenster. Er kommt nicht gleich zurück, sagte sie. Er macht heute von dieser Konferenz in der Uni Gebrauch.
Da glaubte ich immer noch, Sie hätten es bis jetzt vermieden, mich in meiner neuen Gestalt zu sehen. Daß Sie es aber fertigbringen würden, mich nicht zu erkennen, wäre mir nicht im Traume eingefallen. Bestürzt sind Sie ja niemals. Schon lange hatte ich Sie fragen wollen, wann dieses Immer-auf-alles-gefaßt-sein bei Ihnen angefangen hat. Aber die Frage wäre ein arger Verstoß gegen die Spielregeln gewesen, die wir heilig hielten. Sie schützten uns zuverlässig davor, aus unseren Rollen zu fallen, wie sehr mir auch meine Rolle des munteren Verlierers längst

gegen den Strich ging. Manchmal hieß das Spiel: Wer fürchtet sich vorm schwarzen Mann? und ich hatte zu rufen: Niemand! Dann wieder galten andere Spiele, nur eine Regel blieb: Wer sich umdreht oder lacht, dem wird der Buckel blau gemacht. Ich habe mich niemals umgedreht. Nie den Spielmeister ertappt. Nie über ihn gelacht. Hätte ich ahnen sollen, daß Ihre eigenen Vorschriften Sie drückten?

Sie werden sich erinnern: Es war Sonnabend, der 16. März, jener Tag mit dem »launischen Aprilwetter«, der elfte meiner verwandelten Existenz, als Sie gegen 23 Uhr das Operncafé verließen, allein und so gut wie nüchtern, und ein wildfremder junger Mann, der Ihnen offenbar aufgelauert hatte, auf Sie zutrat, Ihnen seine Begleitung aufdrängte und nicht einmal die Manieren hatte, sich vorzustellen. Sie, ohne Überraschung zu zeigen, ohne ein Erkennungszeichen von sich zu geben, stellten sich, als gebe es für Sie nichts Alltäglicheres als ein vertrauliches nächtliches Gespräch mit einem Unbekannten. Gleich waren Sie wieder Herr der Lage. Geistesgegenwärtig entwickelte Sie ein neues Spiel, und Sie waren es wieder, der die Teilnahmebedingungen festlegte, die Sie übrigens großzügig handhabten, wenn nur eines nicht angetastet wurde: daß Sie das Recht hatten, sich draußen zu halten. Was ich Ihnen vortrug – die Klage etwa, daß einem Mann das Erinnerungsarsenal einer Frau lästig werden kann –, nahmen Sie höflich zur Kenntnis, aber es ging Sie nichts an. Sie waren unverfroren, und ich sagte es Ihnen. Sie zuckten mit keiner Wimper. Ich wußte, daß ich jetzt empört sein sollte, aber ich war nicht empört. Kühl nahm ich meine Gelegenheit wahr, Ihnen mit meinen neuen Erfahrungen zu Leibe zu rücken, den Spieß umzudrehen, Sie mit Beschwerden, Anklagen, Drohungen einzukreisen. Ich erinnerte mich genau, wie oft ich diesen Augenblick in Gedanken durchgespielt hatte, jede Wendung, alle Stellungen kannte ich auswendig. Aber da ich sie endlich ausführte, hatte ich die Lust an ihnen verloren und begann zu ahnen, was das bedeuten mußte. Fast wie zu einer Pflichtübung verstieg ich mich noch zu der Behauptung, daß Mann und Frau auf verschiedenen Planeten wohnen, um Sie zu Ihren üblichen milden Einschüchterungsversuchen zu zwingen und damit auftrumpfen zu können, daß sie nicht mehr bei mir verfingen.

Wir standen am Fuß des Fernsehturms am Alex. Dachten Sie, ich hätte aus gekränkter Eigenliebe auf einmal in einem zufällig leer vorbeifahrenden Taxi die Flucht ergriffen? Weit gefehlt. Ich floh, weil ich nicht gekränkt war, weil ich keine Angst hatte, weil ich nicht traurig und nicht froh war und die Spannung dieses ganzen Tages überhaupt nicht mehr verstand. Ich floh, weil ich die ganze Zeit mit Ihnen über einen Fremden gesprochen hatte, für den ich selbst kein Mitgefühl mehr aufbringen konnte. Was ich mir auch, allein im dunklen Auto, an Schönem und Gräßlichem vorstellen mochte – mein Gefühl blieb taub. Was ich auch in mich hineinfragte – niemand antwortete mir. Die Frau in mir, die ich dringlich suchte, war verschwunden. Der Mann noch nicht da.

Mattgesetzt – dieses Wort fiel mir ein, denn die Sprache wenigstens hatte sich mir noch nicht entzogen.

Unbewußt hatte ich dem Taxifahrer die Adresse meiner Eltern genannt. Nun beließ ich es dabei, zahlte, stieg aus, erblickte schon von der Straße her das Licht in ihrem Wohnzimmerfenster und stellte mich auf den Steinsockel im Vorgarten, von dem aus man das Zimmer ungehindert übersieht. Meine Eltern saßen in ihren Stammsesseln und hörten Musik. Die Bücher, die sie vorher gelesen hatten,

lagen, mit den Rücken nach oben, vor ihnen auf dem niedrigen Tischchen. Sie tranken Wein, einen Bocksbeutel, den sie allen anderen Weinen vorziehen, aus den altmodischen langstieligen Gläsern. Einmal in zwanzig Minuten bewegte mein Vater die Hand, um meine Mutter auf eine Passage des Konzerts hinzuweisen. Meine Mutter lächelte, weil er sie immer mit der gleichen Handbewegung auf dieselbe Stelle hinweist und weil sie darauf wartet und es gerne hat, daß er, wie er dann auch tat, aufblickt und ihr Lächeln mit ein wenig Selbstironie erwidert. Wie aus den erregten Debatten mit Freunden, die in meiner Kindheit das Haus meiner Eltern erfüllten, allmählich Unterhaltungen wurden, aus Freunden und Feinden Gäste, stieg meiner Eltern Lust am Alleinsein. Sie haben das Kunststück fertiggebracht, einander mit der notwendigen Schonung zu begegnen, ohne das Interesse aneinander zu verlieren.
Ich hätte hineingehen können. Hätte die Geheimhaltungsvorschriften übertreten und ihnen meine Lage schildern können. An Verständnis für mich hat es ihnen nie gefehlt. Keine unpassende Frage, kein Befremden, nicht die Spur eines Vorwurfs wäre mir begegnet. Sie hätten in meinem alten Zimmer mein Bett fertiggemacht und den in unserer Familie gebräuchlichen Schlaftrunk bereitet. Dann hätten sie beide nebenan schlaflos gelegen und die ganze Nacht darüber gegrübelt, was sie falsch gemacht haben. Denn das Glück meiner Eltern ruht auf einem ziemlich einfachen Begriff von den Zusammenhängen zwischen Ursache und Wirkung.
Ich bin nicht hineingegangen. Mit dem nächsten Taxi bin ich zu mir nach Hause gefahren, habe mich ins Bett gelegt, um drei Nächte und zwei Tage nicht aufzustehen – eine Zeitspanne, in der ich aber meine Protokollnotizen leid-

lich aufrecht erhielt, obwohl die Fähigkeit, Bezeichnungen für meinen Zustand zu finden, in dem Maße nachließ, in dem ich mich körperlich gesunden fühlte. Da Sie den Begriff »Krise« niemals zulassen würden, einigten wir uns stillschweigend auf »Peripetie« – als stünden wir kurz vor der unvermeidlichen Auflösung aller Verwicklungen in einem dümmlichen klassischen Drama.
Beate aber sprach am Montag ohne Umschweife von einem Fiasko. Sie wissen, was passierte: Mein Versagen beim Gedächtnistest. Dabei hätte auch ihr wohl einleuchten können, daß für einen gewissenhaften Menschen die Antwort »ich weiß nicht«, verglichen mit einer massiven Lüge, das kleinere Übel darstellt. Nach angestrengtem Überlegen – das bezeugen die mir an Puls und Gehirnströme angeschlossenen Apparate – antwortete ich siebenmal auf ihre Fragen, ich wisse es nicht, ehe sie nervös wurde und begann, mir vorzusagen. Als hätte ich den Namen meines Lieblingslehrers vergessen! Aber wie konnte ein Mann, der, wie ich auf einmal deutlich sah, seine wohlberechnete Wirkung auf Mädchen in den Ablauf seiner Chemiestunden einbaute, je mein Lieblingslehrer gewesen sein? Oder die »größte Kindheitsfreude«. Natürlich wußte ich, was ich dreimal in Abständen von einem Vierteljahr darauf geantwortet hatte: schaukeln. Ich konnte ja auch, wenn es denn sein mußte, das Erinnerungsbild eines schaukelnden Mädchens in mir herstellen, das juchzte, dem die Röcke flogen, das sich von einem Jungen abstoßen ließ . . . Nur daß dieses Bild eindeutig Unlust in mir erzeugte und als Antwort auf die Frage nicht mehr paßte. Ebensowenig wie der Name des Jungen – Roland, ja doch, zum Teufel! – zu der Frage nach dem »ersten Freund«. Mein erster Freund konnte doch unmöglich – sah denn Beate das nicht? – jenes fremde schaukeln-

de Mädchen umfaßt und von der Schaukel gehoben haben ...
Unterstellungen, alles Unterstellungen, was in meiner Akte zu lesen stand. Nehmen Sie nur diese alberne, ewig unfertige Farbtafel. Freilich hatte ich dieses Bildchen immer als »Liebespaar, unter freiem Himmel dem Wald zustrebend« gedeutet. Nur konnte ich das Liebespaar jetzt einfach nicht mehr finden, so peinlich mir das auch war, weil es nach Ziererei aussah. Zwei Sportler, zur Not, die sich auf einen Wettkampf vorbereiteten. Aber auch das nicht sicher. Also schwieg ich besser. Es war doch kein Unglück, nicht zu erkennen, was diese sinnlose Tafel darstellen sollte.
Da fing Beate zu weinen an. Die stille, die bescheidene Beate. Beate, deren Name so gut zu ihr paßte: die Glückliche. Die alles ins rechte Verhältnis zueinander brachte: den schwierigen Beruf, einen anspruchsvollen Mann, zwei Kinder; die nie von sich reden machte. Und die vielleicht selbst nicht geahnt hatte, welch Unmaß an Hoffnung sie mit diesem Experiment verband. Wissen Sie, daß sie zu allem bereit war? Sie wollte die nächste sein: Das war ihr Ernst. Über mein Versagen geriet sie außer sich. In meinem widerwärtigen Hochmut werde ich noch diese einmalige Chance für alle anderen mit vertun, weil ich sie nicht wirklich brauche und daher gar nicht zu schätzen wisse.
Irene half mir, Beate ins Auto zu bringen. Ich fuhr sie nach Hause. Was sie unterwegs noch alles sagte, in welchem Ton, welche Art von Wörtern sie dabei benutzte, behalte ich für mich. Aber mir ist eine Scheu vor den stillen, bescheidenen Frauen geblieben. – Sie wohnt schön, Beate. Garten und Haus sind gepflegt. Keine schmutzige Tasse, kein ungemachtes Bett. Keine Unordnung hinter ihrem

Rücken, sie wollte sich nie etwas vorzuwerfen haben. Ich bettete sie auf die Couch und gab ihr Schlaftabletten. Ehe sie einschlief, fragte sie: Warum sagst du nichts?
Sie dachte wohl, es stünde mir frei, zu reden oder zu schweigen. Sie konnte sich die Stille nicht vorstellen, die in mir herrschte. Keiner kann sich diese Stille vorstellen.
Wissen Sie, was »Person« heißt? Maske. Rolle. Wirkliches Selbst. Die Sprache, scheint mir nach alledem, ist wohl an wenigstens einen dieser drei Zustände gebunden. Daß sie mir alle abhanden gekommen waren, mußte soviel bedeuten wie totales Schweigen. Über niemanden läßt sich nichts aufschreiben. Dies erklärt die Drei-Tage-Lücke in meinem Bericht.
Als mir nach Tagen der Gebrauch von JA und NEIN möglich wurde, ging ich wieder unter Menschen. Verändert, natürlich: das haben sie alle ganz richtig gesehen. Aber doch nicht schonungsbedürftig. Doch nicht angewiesen auf diese besorgt forschenden Blicke, die es mir ja nur schwerer machten, überzeugend zu zeigen, daß ich über den Berg war. Absurderweise wollte gerade jetzt keiner mir glauben: Ihr Zweifel tauchte auf, als meiner sich verflüchtigte. Mein wahrheitsgemäß-stereotypes »Danke gut« auf ihr stereotypes »Wie geht es dir?« ging ihnen auf die Nerven. Aber die Meinungen, die sie über mich haben mochten, lagen mir nicht wie früher am Herzen. Das wieder paßte ihnen nicht.
Aber was hatten wir uns eigentlich alle gedacht?
Oder Sie! Wäre es denkbar, daß Sie den Preis, den ich zahlen sollte, nüchtern einkalkuliert hatten? Ich frage ja bloß: affektfrei, wie Sie es immer gefordert haben. Affektfrei, aller alten Bindungen los und ledig, konnte ich endlich aussteigen aus einem gewissen Spiel, dessen Regeln uns so lange heilig gewesen waren. Dieses Schutzes

bedurfte ich nun nicht mehr. Der Verdacht, daß Sie genau das vorausgesehen und sogar gewünscht haben mochten, kostete mich ein Achselzucken. Ich entdeckte das Geheimnis der Unverwundbarkeit: Gleichgültigkeit. Kein Brennen mehr in mir, wenn ein gewisser Name fiel, eine gewisse Stimme zu hören war . . . Eine bedeutende Erleichterung, Professor, die mir ungeahnte Freiheiten eröffnete. Wenn ich die Augen schloß, war ich nicht mehr gezwungen, schmerzhafte Lust aus einer Folge von Bildern zu ziehen, die – beschämend genug – immer die gleichen zwei Personen in immer den gleichen Situationen zeigte. Vielmehr beherrschten mich Zukunftsvisionen: Mein glorreiches Abschneiden in diesem Experiment, mein Name in aller Munde, Jubel, Auszeichnungen, der Ruhm in vollen Zügen.

Sie schütteln den Kopf, Sie mißbilligen. Aber was wollen Sie: Sollte ich fertigbringen, was den meisten Männern nicht gelingt – ohne Selbstbetrug Auge in Auge mit der Realität zu leben? Vielleicht hatten Sie gehofft, daß einer es schaffen würde: Ihr Geschöpf. Daß Sie ihn dabei beobachten könnten und der Abglanz von Empfindungen auf Sie fallen würde, die Sie sich selbst seit langem verboten und allmählich wohl verloren haben (was Ihnen geblieben sein mag, ist das Gefühl eines unersetzlichen Verlusts); aber ich mußte Sie enttäuschen. Ohne es zu merken, begann auch ich, den leichteren Weg vorzuziehen und den Erfolg des Experiments, dessen barbarischer Unsinn mir nicht mehr voll gegenwärtig war, allen Ernstes in den Mittelpunkt meiner Bestrebungen zu rücken. Des Doktor Rüdiger klassische Anekdote fällt mir ein. Ohne es zu wissen oder zu wollen bin ich doch Spion gewesen im Hinterland des Gegners und habe erfahren, was euer Geheimnis bleiben muß, damit eure bequemen Vorrechte nicht angetastet

werden: daß die Unternehmungen, in die ihr euch verliert, euer Glück nicht sein können, und daß wir ein Recht auf Widerstand haben, wenn ihr uns in sie hineinziehen wollt.
Nein, Professor: Keine Göttin steigt herab, den Verräter zu blenden – es sei denn, Sie wollen die Gewohnheit, die uns blind macht, eine allmächtige Göttin nennen. Die Teilerblindung, die fast alle Männer sich zuziehen, begann auch mich zu befallen, denn anders ist heute der ungeschmälerte Genuß von Privilegien nicht mehr möglich. Wo ich früher aufbegehrt hatte, erfaßte mich jetzt Gleichmut. Eine nie gekannte Zufriedenheit begann sich in mir auszubreiten. Einmal akzeptiert, gewinnen die Übereinkünfte, die wir scharf beargwöhnen müßten, eine unwiderstehliche Macht über uns. Schon verbot ich mir die Traurigkeit als unfruchtbare Vergeudung von Zeit und Kraft. Schon kam es mir nicht mehr gefährlich vor, an jener Arbeitsteilung mitzuwirken, die den Frauen das Recht auf Trauer, Hysterie, die Überzahl der Neurosen läßt und ihnen den Spaß gönnt, sich mit den Entäußerungen der Seele zu befassen (die noch kein Mensch unter dem Mikroskop gefunden hat) und mit dem großen, schier unausschöpflichen Sektor der schönen Künste. Während wir Männer die Weltkugel auf unsere Schultern laden, unter deren Last wir fast zusammenbrechen, und uns unbeirrt den Realitäten widmen, den drei großen W: Wirtschaft, Wissenschaft, Weltpolitik. Und einen Gott, der käme, uns die Sehergabe zu verleihen, voll ehrlicher Entrüstung abweisen würden ... Wie die ziellosen Klagen unserer Frauen.
So weit war ich noch nicht, Professor. Die Zeit hatte nicht ausgereicht. Anfälle meiner alten Unruhe suchten mich heim. Ein Schock konnte mich noch retten. Eine Frage. Zwei Worte.

Wie ich Ihre Tochter Anna kennengelernt habe? Ich habe sie nicht als Ihre Tochter kennengelernt – der Verdacht ist unbegründet –, sondern als eine sehr gescheite, etwas schnippische junge Person, die im Filmclub zufällig neben mir saß und die ich – schon nicht mehr zufällig – zu einem Eisbecher einlud. Es ging ganz einfach. Sie werde mir nicht in den Arm fallen, sagte sie, wenn ich für sie bezahlen wolle: Sie sei gerade pleite, und es treffe ja wohl keinen Armen. Absichten? Die gewöhnlichsten von der Welt; denn wenn ich schon irgendwo anfangen mußte mit der Gockelei – die Frauen lassen einem Mann keine Ruhe! – warum nicht bei diesem Mädchen, das mir wegen seines ironischen Lachens gefiel?
Der Gockel war dann nicht gefragt. Für Anna war ich ein älterer Herr, nehme ich an, der, verblödet wie die meisten Männer – dies sind ihre Worte, aber Sie kennen sie ja – nicht mehr imstande ist, irgend etwas zu merken. Zum Beispiel, daß diese Filmleute vorhin uns ganz einfach für dumm verkaufen wollten. Sie heiße übrigens Anna (ich schwöre Ihnen: Ihren Familiennamen hat Ihre Tochter mir nicht genannt!). Anna ist dafür, es den Männern nicht zu leicht zu machen. Sie seien ja schon zu faul zu allem geworden, zur Liebe jedenfalls, findet Anna, und eines Tages werde es dahin kommen, daß sie zu faul werden zu herrschen. Und uns ihre himmelschreiende Bequemlichkeit als Gleichberechtigung aufdrängen, sagte Ihre Tochter Anna zornig. Schönsten Dank, aber ohne mich.
Warum sie mich dann mit nach Hause nahm? Ich schwöre Ihnen . . . Ach was. Schluß mit der Schwörerei. Natürlich hätte ich mich, als Mann, in Anna verliebt. Es regte sich etwas, wenn Sie das beruhigt. Die Gegenregung hielt der anderen aber für diesmal noch die Waage. Anna muß etwas gespürt haben, denn sie wurde stiller. Sie sagte, ich

sei ihr ein bißchen rätselhaft, aber trotzdem sympathisch. Sie wollte mir ihre Platten vorspielen.
An Ihrer Gartentür hätte ich noch umkehren können. Aber nun wollte ich sehen, wie wir uns aus der Affäre ziehn. Vielleicht wollten auch Sie das sehen. Vielleicht wollten Sie mir beweisen, daß Sie die Suppe auslöffeln, die Sie sich eingebrockt haben. Sonst hätten Sie wenigstens die Einladung zum Abendbrot verhindern können. Ich, als neue Bekanntschaft Ihrer Tochter Anna von Ihrer Frau und Ihrer alten Mutter gehörig gemustert, Ihnen gegenüber an der Schmalseite Ihres Abendbrottisches. Ein Witz natürlich. Sie hatten keine Mühe, gute Miene zum bösen Spiel zu machen. Alles stumme Szenen, nur Blicke und Gesten. Aber soviel wurde klar: Sie boten Ihre bedingungslose Kapitulation an. Das Spiel war zu Ende. Keine Rede mehr davon, daß Sie die Fäden in der Hand hielten. Sie steckten in der Klemme und sahen ein, daß Ihnen recht geschah. Es stand Ihnen und entwaffnete mich. Mir also blieb überlassen, ob ich mich freiwillig noch an irgendeine unserer Spielregeln hielt. Sie wußten nicht, daß ich schon im Aus war. Die Person, der Sie Ihre Kapitulation anboten, saß nicht mit am Tisch.
Lockere Gespräche also, Heiterkeit. Erleichterung auf der einen, Großmut von der anderen Seite. Maßvolle Beobachtungen. Ein schwer zu bestimmender Ausdruck im Gesicht Ihrer Frau, der mir erst jetzt zu denken gibt. Die gute Laune Ihrer Mutter, die Fröhlichkeit Ihrer Frau: Geschickte Nachahmungen Ihrer eigenen guten Laune und Fröhlichkeit. Die beiden Frauen haben Sie mit hochempfindlichen Radarsystemen umstellt, die ihnen auch die leiseste Ihrer Gefühlsregungen zutragen. Daß Ihre Frau ein spiegelbereites Gesicht hat – das ist es. Und Objekt für den Spiegel: Sie, wiederum Sie. Eine vollkommene Ein-

kreisung. Anna aber nicht bereit, sich abzufinden. Kratzbürstig und schnippisch, vor allem aber, worum ich sie beneide: überlegen. Es war der neunundzwanzigste Tag nach meiner Verwandlung, ein lauwarmer Aprilabend.
Wo bleibt der Schock? Die Frage? Die zwei Worte?
Ich müßte sie Ihnen wohl nicht wiederholen. Wir standen ja dann in Annas Zimmer vor ihrem Bücherbrett, unsere Weingläser in der Hand, während sie ihre Platten auflegte. Sie hatten zum erstenmal den Mut, mich zu erkennen, die Verwandlung, die Sie bei mir bewirkt hatten, nicht zu fliehen oder zu leugnen. Ohne weiteres redeten Sie mich mit dem Namen an, den Sie mir gegeben haben: Nun, Anders – wie fühlen Sie sich? Die Frage. Wobei Sie genau den Ton zwischen Berufsinteresse und freundschaftlicher Anteilnahme trafen: neutral. Aber es kränkte mich nicht. Jener Anders entfernte sich unaufhaltsam von der Person, die so etwas hätte kränken können.
Gelassen, der Wahrheit gemäß, gab ich Auskunft: Wie im Kino.
Da rutschte Ihnen, zum erstenmal, seit ich Sie kenne, etwas heraus, was Sie nicht hatten sagen wollen: Sie auch? – Die zwei Worte.
Sie wurden bleich und ich hatte mit einem Schlag begriffen. Immer ist es ein Gebrechen, das man so sorgfältig versteckt. Ihre kunstvoll aufgebauten Regelsysteme, Ihre heillose Arbeitswut, all Ihre Manöver, sich zu entziehen, waren nichts als der Versuch, sich vor der Entdeckung abzusichern: Daß Sie nicht lieben können und es wissen. Es ist zu spät, Entschuldigungen vorzubringen. Aber an mir ist es nun, Ihnen zu sagen, daß auch ich keine Wahl hatte, mich in dieses Spiel einzulassen oder nicht; es wenigstens abzubrechen, solange noch Zeit war. Vieles können Sie mir vorwerfen, ohne daß ich etwas zu meiner

Rechtfertigung vorbringen würde – vor allem anderen meine Leichtgläubigkeit, meinen Gehorsam, meine Abhängigkeit von den Bedingungen, die Sie mir aufzwangen. Wenn Sie mir nur glauben wollten, daß es nicht Leichtsinn oder Übermut waren, die jenes Geständnis von Ihnen erpreßten. Wie hätte ich wünschen sollen, daß die erste und einzige Vertraulichkeit zwischen uns das vertrauliche Eingeständnis eines Defekts wäre ...

Jeder von uns hatte sein Ziel erreicht. Ihnen war es gelungen, sich meiner zu entledigen; mir, hinter Ihr Geheimnis zu kommen. Ihr Präparat, Professor, hatte getan, was es konnte. Nun ließ es uns im Stich.

Es gibt nichts Schlimmeres als zwei Menschen, die miteinander quitt sind.

Ich komme zum Schluß.

Am nächsten Morgen erwarteten Sie mich im Institut. Gesprochen wurde wenig. Sie zeigten mir Ihr Gesicht nicht, als Sie die Spritze aufzogen. »Scham« hängt mit »Schande« zusammen. Zuschanden machen. Es bleibt uns nichts übrig, als mit dem quälendsten aller Gefühle von vorn zu beginnen.

Ich träumte nichts. Beim Erwachen sah ich einen größer werdenden hellen Fleck. Auch Ihr Petersein minus masculinum ist ein zuverlässiges Mittel, Professor. Es steht ja im Protokoll. In allen Ihren Voraussagen haben Sie recht behalten. Jetzt steht uns mein Experiment bevor: der Versuch zu lieben. Der übrigens auch zu phantastischen Erfindungen führt: zur Erfindung dessen, den man lieben kann.

Nachwort

I

»Zunächst schien es ein Jux zu sein« – so beginnt Annemarie Auer ihren Essay, der den 1975 bei Hinstorff in Rostock erschienenen Erzählungsband »Blitz aus heiterm Himmel« begleitet. Sie meint damit die in der Tat kuriose Idee, eine Anzahl von DDR-Autoren einzuladen, Geschichten zum Thema Geschlechtsverwandlung / Geschlechtertausch zu schreiben; was dann auch geschah: Die Bandherausgeberin Edith Anderson forderte mehrere schriftstellernde Frauen und gleicherweise Männer auf, ihre Einbildungskraft frei spielen zu lassen. Nur das eine, entscheidende Motiv stand nicht zur Disposition: eben der Wechsel des biologischen Geschlechts. Am Ende kam eine Anthologie zustande, die Geschichten von überwiegend renommierten Autoren enthielt, von den Frauen Edith Anderson, Sarah Kirsch und Christa Wolf und von den Männern Günter de Bruyn, Gotthold Gloger, Karl-Heinz Jakobs und Rolf Schneider. Irmtraud Morgners Verwandlungsgeschichte, im vorliegenden Band abgedruckt, war am Ende draußen geblieben – und nicht nur ihre, auch einige der anderen angeforderten Geschichten sprengten offenbar den Rahmen dessen, was ›man‹ (dazu zählen auch Frauen) an Tabuverletzung für noch zumutbar und zuträglich hielt. Bedenkt man, daß es sich durchweg um Auftragsarbeiten, gleichsam um anbefohlene Inspiration handelt, dann überraschen Reichtum und Niveau der literarischen Phantasiearbeit, die der Sammelband manifestiert. Und was zunächst als unverbindliche, gesellschaftsferne, abseitige Spielerei erscheinen mag, gewinnt plötzlich die Dimension eines sozialen Experiments von beträchtlicher Tragweite. Wird doch hier etwas in

Frage gestellt, ver-rückt, auf den Kopf gestellt, das uns allen als das vielleicht Festeste, Selbstverständlichste auf der Welt gilt: unsere geschlechtliche Identität. Seine Hobbys kann man wechseln, den Beruf vielleicht auch, den oder die erotischen ›Partner‹ allemal, vielleicht sogar die soziale Klasse, der man entstammt: aber das Genus? Soweit wir uns rückerinnern können in unseren längeren oder kürzeren Leben – unser Geschlecht begegnet uns immer als bereits fixiert, vorgegeben, unabänderlich, ja auch vom *Bedürfnis* nach Veränderung strikt ausgenommen. Oder doch nicht?
Die drei Geschichten von Sarah Kirsch, Christa Wolf und Irmtraud Morgner, die dem ursprünglichen Fundus des Bandes »Blitz aus heiterm Himmel« als die wohl interessantesten entnommen sind, weigern sich, eine solche Unabänderlichkeit anzuerkennen. Sie lösen, fabulierend, die Geschlechtsfixierungen und das nicht nur biologische, sondern auch gesellschaftliche Koordinatensystem, das sie geschaffen hat, versuchsweise auf.

2

Das Fabulieren über dieses Motiv ist nicht neu. Seitdem die Aufspaltung der menschlichen Gattung in zwei zumindest dem Anschein nach antagonistische Geschlechter als Problem wahrgenommen wird, gibt es auch die Träume von der Überwindung dieses Antagonismus, von der harmonischen Wiedervereinigung der getrennten Geschlechter. So berichtet Aristophanes, der Komödiendichter, in Platons »Gastmahl« von der einstigen Existenz doppelgeschlechtiger Menschenwesen. Sie waren rund von Gestalt, »so daß Rücken und Brust im Kreise herumgingen. Und vier Hände hatte jeder und Schenkel ebensoviel wie Hände, und zwei Angesichter auf einem kreisrunden Halse einander genau ähnlich, und einen gemeinschaftlichen Kopf für beide einander gegenüberstehende Angesichter, und vier Ohren, auch zweifache Schamteile, und alles übrige, wie es sich hieraus ein jeder weiter ausdenken kann.« Zeus habe dieses Wesen in zwei Hälften zerschnitten, um die Menschen für ihren Übermut gegen die Götter zu strafen. Seitdem sei das Menschengeschlecht geschwächt, stets darauf bedacht, im Liebesakt die alte Ungeteiltheit wiederherzustellen, um doch immer wieder in zwei feindliche, ungleiche Hälften zu zerfallen. »Von so langem her also ist die Liebe zueinander den Menschen angeboren, um die ursprüngliche Natur wiederherzustellen, und versucht aus zweien eins zu machen und die menschliche Natur zu heilen.« Gleichsam die Umkehrung dieses Mythos der Trennung ist in jenem utopischen Bild des zwiegeschlechtigen Hermaphroditos (eines Mannes mit weiblichen Brüsten und langem Haar) zu sehen, von dem die griechische Sage ebenfalls erzählt. Er war die »Frucht einer Nacht«, die Hermes und Aphrodite, beide Kinder des Zeus, miteinander verbrachten – und erscheint durchaus nicht als zwittrige Spottgeburt, in der sich Unzusammengehöriges vereint hat, sondern als Sinnbild höherer Vollkommenheit, als sie eingeschlechtige Wesen erreichen können. – Schließlich sei an den ja auch von Christa Wolf herbeizitierten Teiresias, den (später blinden) Seher, erinnert, den die Götter in ein Weib (»eine berühmte Hure«) verwandelten; der aber doch, als später Rückverwandelter, allen anderen Sterblichen eines voraus hatte: das erotische Empfinden *beider* Geschlechter zu kennen und vergleichen zu können (bis er schließlich – nicht ungestraft – das Geheimnis ausplaudert, daß die Liebesfreude der Frau die des Mannes bei weitem übersteige).

So vielgestaltig die griechischen und orientalischen Mythen von der Geschlechtervereinigung und vom Geschlechtertausch auch sind (ich habe nur wenige Beispiele genannt): gemeinsam ist ihnen die direkt ausgesprochene oder versteckte Kritik an der Borniertheit des eingeschlechtigen/getrenntgeschlechtigen Zustandes und die Sehnsucht, die limitierte Erfahrung des einen (oder anderen) Geschlechts zu überschreiten, wobei über die – natürliche oder gesellschaftliche? – Verursachung solcher Begrenzung keine klaren Aussagen getroffen werden. Überdies kommt manchen Mythen und Bildern noch ein konkret-historischer Sinn zu, so den Gestalten des Hermaphroditos oder der bärtigen Frau Androgyne, die den geschichtlichen Übergang vom Matriarchat zum Patriarchat markieren. Beide Bedeutungsaspekte des Spiels mit der geschlechtlichen Identität und deren fiktionaler Auflösung/Umpolung haben über die Jahrhunderte und Jahrtausende ihre Brisanz bewahrt, nicht etwa, weil es sich um ein ›ewigmenschliches‹, überzeitliches Motiv handelte, sondern vielmehr, weil diese Jahrhunderte und Jahrtausende darin identisch sind, daß patriarchalische Herrschaftsgesellschaften sie prägen. Und so begegnet auch in der Literaturgeschichte der Moderne eine Vielzahl von Beispielen, die in Bildern von Geschlechtertausch und -verwandlung imaginieren, wie die ursprüngliche menschliche Natur wiederherzustellen und zu heilen wäre (um es noch einmal mit Platon zu sagen); Beispiele auch, deren individuelle Geschlechtsverwandlungen als Modelle für den historisch überfälligen Ausgang aus dem Patriarchat verstanden werden wollen (in Umkehrung gewissermaßen des Hermaphroditos-Mythos).

Da ist Friedrich Schlegels »Lucinde« (1799) zu nennen, in der, getrieben von der Erkenntnis der Halbheit der beiden

Geschlechter, der Tausch der Rollen erprobt und als »wunderbare sinnreich bedeutende Allegorie auf die Vollendung des Männlichen und Weiblichen zur vollen ganzen Menschheit« begriffen wird. Dann Bertolt Brechts »Der gute Mensch von Sezuan« (1942), in dem die gütige, freundliche Shen-Te zeitweise die (Männer-)Gestalt des kalten, geschäftstüchtigen Vetters Shui-Ta annehmen muß, weil ihre Güte unter den gegebenen Verhältnissen selbstzerstörerisch wirkt. Oder Peter Hacks' Komödie »Omphale« (1970), die einen in eine Frau verwandelten Herakles beim Spinnen und Weben vorführt, wobei die Pointe darin liegt, daß Hacks das, was in der Antike als Schmach und Schande empfunden wurde – die Erniedrigung zum Weib –, von Herakles positiv wenden läßt: Herakles ist sein Heldenleben leid, erkennt seine männliche Einseitigkeit und will sie überwinden.
Schließlich sei an die wohl wichtigste Bearbeitung des Geschlechtertauschmotivs in der modernen Literatur erinnert: Virginia Woolfs romanhaft-phantastische Biographie »Orlando« (1928). Es ist die merkwürdige Geschichte eines jungen Adligen am elisabethanischen Hof des späten 16. Jahrhunderts, der zunächst mit den typischen Zügen des Männlichkeitsideals seiner Zeit und seiner Klasse ausgestattet ist. Dabei zeichnet ihn Virginia Woolf, obwohl gewalttätig, ehrgeizig, an seinen Stand angepaßt, durchaus nicht als pure patriarchalische Schreckgestalt. Vielmehr lernt man Orlando als sensiblen, zärtlichen, der Liebe fähigen Jüngling kennen, dessen entscheidendes Handicap es freilich ist, einer fixierten historischen Prägung seiner ›Geschlechtsmerkmale‹ unterworfen zu sein. Orlando wird (das ist natürlich der springende Punkt) in eine Frau verwandelt und durchmißt (teilweise auch in seiner alten Geschlechtsidentität) einen Zeitraum von ca.

350 Jahren (erreicht dabei aber nur ein biologisches Alter von 35 Jahren), getragen von einem nie nachlassenden Erfahrungshunger. In keiner anderen Bearbeitung des Geschlechtertauschmotivs ist das Experiment so vielgestaltig, faszinierend und konsequent durchgeführt wie hier: eben mit Hilfe dieses Vehikels des Wanderns zwischen den Geschlechtern die zerstörerische Einseitigkeit der alten (patriarchalischen) Sitten und Verhaltensweisen vorzuführen und gleichzeitig diese sprengende neue zu erproben: im gesellschaftlichen Umgang allgemein, vor allem aber in der Liebe. Man sollte meinen, die Herausgeber und Autoren der Hinstorff-Anthologie hätten Virginia Woolfs »Orlando« vor Augen gehabt, als sie die Grundidee und dann die Geschichten selbst konzipierten. Z. B. geht bei Sarah Kirsch und Christa Wolf die Geschlechtsumwandlung während eines mehrtägigen Schlafs vonstatten – wie bei Virginia Woolf. Aber nirgends (auch in Annemarie Auers umfangreichem, kundigem Nachwort nicht) findet sich ein Hinweis auf »Orlando«. Und Christa Wolf hat, entsprechend befragt, bestätigt, daß ihr und wohl auch allen anderen Kolleginnen und Kollegen das Woolfsche Buch seinerzeit unbekannt gewesen sei. Ein Beispiel also für den assoziativen, kommunikativen Zusammenhalt der Literaturgeschichte – auch wenn dieser den Autoren selbst oft nicht einmal bewußt ist.

3

Unsere drei Geschichten haben gemeinsam, daß sie – banal, aber wichtig genug – von *Frauen aus der* DDR stammen und die *Verwandlungen von Frauen zu Männern* (und was daraus folgt, im guten wie im bösen) darstellen. Wie kommt es überhaupt, daß in der DDR-Literatur – ich behaupte das vorgreifend – ein dergestalt

frauenspezifischer, eminent kritischer Ansatz der belletristischen Bearbeitung von Wirklichkeit begegnet – in einem Land, in dem nach offizieller Lehrmeinung ›Emanzipation‹ keine Sache von Minderheiten ist und die Gleichberechtigung und Selbstverwirklichung der Frauen fest in den allgemeinen Aufbau des Sozialismus integriert ist? »Der gesellschaftliche Fortschritt läßt sich exakt messen an der gesellschaftlichen Stellung des schönen Geschlechts (die Häßlichen eingeschlossen)«, heißt es bei Marx. Was tritt zutage, wenn man diesen Maßstab an die DDR-Wirklichkeit, vermittelt durch die Phantasiearbeit der Literatur, anlegt?
Unterstellen wir einmal tatsächlich: Wo am Sozialismus, verstanden als die Befreiung der Menschen aus den ökonomischen und sonstigen Fesseln der bürgerlich-kapitalistischen Gesellschaft, gearbeitet wird, da muß auch die Rolle der Frauen, da muß die Geschlechterbeziehung neu verhandelt werden; da können auch von der Literatur Entwürfe befreiter, lebendiger erotischer Beziehungen und ein Nachdenken darüber, was an den überkommenen Geschlechterrollen unter der Tünche ihrer gesellschaftlichen Überformung ›natürlich‹ sein mag, erwartet werden. Kennzeichnen solche Entwürfe die DDR-Literatur der späten 40er, der 50er und 60er Jahre? Die Antwort ist ein höchst eingeschränktes, zögerndes Ja. Sicherlich, bereits die frühe DDR-Literatur trennt sich im Grundsätzlichen strikt vom Frauenbild der bürgerlichen Gesellschaft und ihrer Literatur. Sie zeigt Frauen bei bislang ungewohnten Arbeiten, die ›ihren Mann‹ stehen: Friedrich Wolfs »Bürgermeister Anna«, Willi Bredels »Petra Harms« oder Erwin Strittmatters »Holländerbraut«. Das ist zunächst ein gewaltiger Fortschritt: Frauen *als Produzenten* zu zeigen. Freilich: sie produzieren als Gehilfen der Männer,

sind über die Männer und die von ihnen gesetzten Normen, was Produktivität sei, definiert. Selbstverwirklichung außerhalb der Rolle als materieller Produzent, in Eros und Sexualität, steht nicht oder erst in zweiter Linie zur Debatte. Die Möglichkeit eigener weiblicher Identität, die bislang vielleicht noch gar nicht in der bisher produzierten Wirklichkeit vorkommt, wird von den (übrigens überwiegend männlichen) Autoren nicht erwogen.

Die DDR-Literatur der frühen 60er Jahre ist, jedenfalls in dieser Hinsicht, nicht entscheidend anders. In den populär gewordenen Romanen der Christa Wolf (»Der geteilte Himmel«), Erik Neutsch (»Spur der Steine«), Erwin Strittmatter (»Ole Bienkopp«) oder Hermann Kant (»Die Aula«) agieren zwar Frauen in wichtigen, ihrem sozialen Status nach gehobenen Rollen, aber ihr Selbstverwirklichungsprozeß vollzieht sich im wesentlichen ungebrochen über die materielle bzw. gesellschaftlich-politische Arbeit. Der gesellschaftliche Auftrag dominiert die privaten Belange, genauer: gesellschaftlich-politisches Engagement und individuelle Triebwünsche (die als solche nicht direkt artikuliert werden) sind in einem nicht auflösbaren Konflikt aufeinander bezogen. Die Heldinnen, zumeist stark vorbildhaft, heroisch – und dadurch eher entmutigend – beißen sich durch in einer von Männern geprägten Welt und erreichen, wenn alles ›gut‹ geht, die von diesen besetzten Kommandohöhen. Hingegen wird Selbstverwirklichung im privaten Bereich, vor allem in der Geschlechterbeziehung selten konsequent, ›zu Ende‹ behandelt. Hier besteht nach wie vor eine Tabuzone. Es klafft auch im Detail, nämlich der direkten Darstellung erotischer Begegnungen, die »berühmte Lücke«, mit Günter de Bruyn zu sprechen. Intimität ist nicht artikulierbar, menschliche Körper und ihre Bedürfnisse gibt es nicht – es handelt sich um eine im wörtlichen Sinn körperlose Literatur. Die Institution Ehe, das Prinzip Monogamie – historisch immerhin eine an das Privateigentum gekoppelte Zwangseinrichtung der bürgerlichen Gesellschaft – bleibt unangetastet.

Es fragt sich, warum die Literatur eines Landes, das sich selbst unter den Anspruch gestellt hat, den Sozialismus aufzubauen, das Problem Frauenemanzipation so lange, nämlich bis Ende der 60er Jahre, innerhalb so enger Grenzen behandelt hat. Die Gründe dafür sind vielfältig, zwei davon – so scheint mir – erheblich: Die DDR war zum einen außerordentlich lange und notgedrungen auf die Schaffung der ökonomischen Basis sozialistischer Lebensverhältnisse fixiert und befand sich – zweitens – in einer so bornierten Tradition der Rezeption marxistischer Theorie, daß ein Begriff und eine Praxis von Selbstverwirklichung, die die Sphäre der unmittelbaren materiellen Produktion und Reproduktion überschritten hätte, zu entwickeln versäumt wurde und in der Geschichte der Arbeiterbewegung vorhandene Ansätze ins Abseits gerieten. Jedoch: wenn damit der historische Prozeß und seine Defizite vielleicht erklärt sind – legitimiert ist er dadurch nicht.

Jedenfalls läßt sich feststellen, daß mit Ende der 60er Jahre (Christa Wolfs »Nachdenken über Christa T.« markiert 1968 den Beginn), deutlicher dann nach dem VIII. Parteitag der SED von 1971, die traditionelle Produktions- und ›Ankunfts‹-Literatur mit *happy end* ihr vorläufiges Ende erreicht hat und eine Belletristik entsteht, die, mit dem Johannes-R.-Becher-Motto von Christa Wolfs Roman, die »Ahnung dessen« artikuliert, »daß der Mensch noch nicht zu sich selbst gekommen ist«. Jetzt wird ein Anspruch auf Selbstverwirklichung proklamiert, der mit

Aufstieg im Berufsleben nur noch sehr vermittelt zu tun hat. Nachdem die ökonomischen Grundlagen und Rechtsnormen, die den Aufbau des Sozialismus garantieren sollen, zumindest der Tendenz nach vorhanden sind, wird jetzt der gesamte Komplex unaufgearbeiteter und blind praktizierter Traditionen, Sitten und Gewohnheiten der bürgerlichen Gesellschaft der Kritik unterzogen und mit neuen sozialistischen Verkehrsformen und Modi der Selbstfindung konterkariert – notabene: im fiktionalen, literarischen Modell. Das Marxsche Diktum von der »Aneignung der Natur durch den Menschen«, die der menschlichen Gattung als Bestimmung gesetzt sei, wird jetzt sehr umfassend begriffen: Es geht weniger um die Aneignung der *äußeren* Natur im materiellen Arbeitsprozeß als um die Aneignung der *eigenen menschlichen* Natur, was auch und vor allem Selbstverwirklichung in der eigenen (geschlechtlichen) Körperlichkeit, in erotischen Beziehungen bedeutet. Zu dieser neuen Literatur gehören z. B. Ulrich Plenzdorfs »Die neuen Leiden des jungen W.« (1972) und Volker Brauns »Unvollendete Geschichte« (1974) – Texte, deren männliche und weibliche Protagonisten sich der Priorität und dem Askesegebot des gesellschaftlich-politischen Auftrags verweigern und die ihre individuellen, also auch körperlichen Bedürfnisse nicht mehr kategorisch unterdrücken.
In diesem Zusammenhang ist eine nunmehr auch quantitativ erhebliche Literatur zu sehen, die die umfassende Befreiung und Selbstverwirklichung der Frau zum Thema hat und zumeist auch Frauen als Urheber hat. Die Buchproduktion des Jahres 1974 kann als Indiz gelten. Auf einen Schlag erscheinen drei dickleibige Romane, deren Titel ein Programm signalisieren: Brigitte Reimanns »Franziska Linkerhand«, Gerti Tetzners »Karen W.« und

Irmtraud Morgners »Leben und Abenteuer der Trobadora Beatriz«. Gegenstand und Ziel dieser Romane ist die individuelle Selbstverwirklichung der Titelfiguren in einer von den Autorinnen der Tendenz nach als sozialistisch verstandenen Gesellschaft. Schließlich gehört, auch zeitlich, die Hinstorff-Anthologie »Blitz aus heiterm Himmel« in diesen Kontext – das erste Buchunternehmen der DDR, das dem Thema Frauenemanzipation bewußt und ausschließlich Raum gibt.

4

Ich möchte an einen möglicherweise selbstverständlich klingenden Sachverhalt erinnern: Wenn männliche Autoren, wie in der DDR seit einigen Jahren häufiger der Fall, emanzipierte, nicht mehr männlich definierte Frauen darstellen – so wie Volker Braun in der Tinka des gleichnamigen Theaterstücks, in der Karin seiner »Unvollendeten Geschichte« oder Heiner Müller in der Dascha seines Stücks »Zement« oder Ulrich Plenzdorf in der Paula seiner schönen »Legende von Paul und Paula« (übrigens auch einer wunderbaren Verwandlungsgeschichte, die al lerdings nicht das Geschlecht betrifft) –, dann sprechen sie nicht von sich selbst. Vielmehr projizieren sie ihre Ideale, ihr progressives, aber nicht reales Über-Ich auf diese Frauengestalten, während ihr bleibendes, reales Männer-Ich in die problematischen Männerfiguren ihrer Texte und Stücke eingeht. Solche literarische Phantasiearbeit ist trotzdem nicht überflüssig. Sie kann Rollenstereotype und erstarrte ideologische Fixierungen, was und wie eine Frau oder ein Mann zu sein habe, aufbrechen. Was sie nicht kann, ist, die »erzählerische Kolonisierung des weiblichen Schweigens«, »das historische Schweigen der Frau angesichts männlich-identifizierter Geschichte, Produktion

und Technologie« zu durchbrechen (Helen Fehervary). *Das* können nur die Frauen selbst tun, hier gibt es keinerlei Stellvertretung (und eine solche nimmt auch dieses Nachwort nicht für sich in Anspruch).
Fragen wir also etwas genauer nach, was die *von Frauen verfaßte* Literatur zum Thema Frauenemanzipation/Geschlechterrollen in der DDR kennzeichnet und von der von Männern geschriebenen unterscheidet – und zwar am Beispiel der drei Geschichten von Kirsch, Wolf und Morgner.
Sarah Kirschs Geschichte »Blitz aus heiterm Himmel«, die der DDR-Anthologie den Titel gegeben hat, mutet in ihrer Mischung aus naiver Fabulierlust und vordergründiger Heiterkeit zunächst eher harmlos an. Doch der Schein trügt. Zwar scheint die Verwandlung der Naturwissenschaftlerin Katharina Sprengel in den Mann Max die schwierige, patriarchalische Beziehung zu ihrem »Herzkönig«, dem Fernfahrer Albert, aufs glücklichste zu verändern: Max verzichtet auf die Fortsetzung seiner ursprünglichen Berufstätigkeit, visiert eine Zukunft als Beifahrer von Albert an, entwirft gemeinsam mit ihm die Grundlinien einer neuen Gesellschaft und gibt schließlich sogar den Gedanken auf, sein Geschlecht zurückzuverwandeln. Einer der letzten Sätze lautet: »Sie waren fröhlich am Entwerfen, so schnell in der Rede und so im Einklang miteinander wie immer, wenn sie beieinander waren.« Fast klingt es wie eine Liebes- oder gar Unterwerfungserklärung an das männliche Geschlecht als das vermeintlich bessere – verschafft doch erst die männliche Gestalt Anerkennung und Gleichberechtigung. Und doch steckt gerade in dem Kernsatz: »Jetzt, wo ich selbern Kerl bin, jetzt kriek ich die Ehmannzipatzjon«, die entscheidende Kritik. Er macht deutlich, daß, was selbstverständ-

lich ist in der Freundschaft zweier Männer – Hilfsbereitschaft, umfassende Achtung, Solidarität –, durchaus nicht selbstverständlich (ja zur Zeit wohl unmöglich) ist in der Beziehung zweier Partner unterschiedlichen Geschlechts. In der idyllischen ›Lösung‹ der Geschichte steckt also beträchtliche Skepsis, wo nicht Bitterkeit: Die erworbene Freundschaft unter Gleichen (eben unter Männern) ist ja ganz offenbar erkauft mit der Preisgabe der sexuellen Beziehung, die vorher von der Erzählerin als hohes Glück gekennzeichnet wurde. Das gewagte Experiment scheint geglückt – und bezeichnet zugleich ein Scheitern. Der Status quo der DDR-Gesellschaft ist dadurch charakterisiert, daß er nach wie vor nur *eine* der beiden Selbstverwirklichungsmöglichkeiten – Eros *oder* Solidarität – zuläßt, nicht aber beide zugleich. Denn um DDR-Wirklichkeit handelt es sich eindeutig, wie die spärlichen Lokalisierungen der Erzählung belegen: die Nennung des Ortes Pasewalk, der Zigarettenmarke Casino, des »De-Eff-De« (des Demokratischen Frauenbunds Deutschlands). Sarah Kirsch hat nur scheinbar einen heiter-naiven, in Wirklichkeit einen höchst hintergründigen, in seiner gesellschaftlichen Diagnose ernüchternden Prosatext geschrieben.
Christa Wolfs Erzählung »Selbstversuch« ist entschieden komplexer, ihr Anspruch auf gesellschaftsanalytische und -prognostische Aussage beträchtlich größer. Der produktive, unsere Fixierung auf die unmittelbare Gegenwart sprengende Einfall der Autorin ist, die männlich besetzte, instrumentelle Rationalität und Technologie nicht nur des kapitalistischen Westens, sondern auch ihres eigenen Landes gleichsam ›hochzurechnen‹ auf das Jahr 1992; zu fragen: Was wird diese Rationalität einmal anrichten, wenn sie sich so ungebremst weiterentwickelt wie bisher. Der Text entwirft keine freundliche, ›weiße‹ Utopie der

Geschlechterrollen und -beziehungen ums Jahr 2000 in einem sozialistischen Land, sondern eine erschreckende, ›schwarze‹. Dabei montiert die Erzählerin ein *Protokoll* nach Art der Science-fiction-Literatur (ein imaginierter, fiktionaler Vorgang, die biologische Geschlechtsumwandlung, wird als wissenschaftlich und technisch realisierbar, ja realisiert beschrieben) mit einem *Traktat,* der das Protokollierte analysiert und bewertet. Das Ergebnis ist, daß die Versuchsperson ihre neue männliche Identität als dauernde in *dieser* Männerwelt, bestückt mit *den* Männern, wie sie da nun einmal existieren (und die sie erst jetzt gewissermaßen nackt und unverfälscht wahrnehmen kann) als einen Alptraum, eine Horrorvision ersten Ranges erlebt und daß sie sich aus diesem »barbarischen Unsinn« in ihre alte weibliche Identität (die nie ganz verstummt war) zurückverwandelt, sprich: ihre Haut *rettet.* Das begehrte Geheimnis der Männerwelt, die Rechenhaftigkeit, die Fakten- und Zahlengläubigkeit, die Besessenheit von dem, was machbar ist und Macht verschafft, hat sie traumatisch schockiert und schließlich geheilt. Am Ende der ›schwarzen‹ Utopie wird ein eher unscheinbares, unentwickeltes Zeichen der Hoffnung aufgepflanzt: die Ankündigung des eigentlichen ›Selbstversuchs‹ (nachdem die Verwandlung in einen Mann, die Gestalt gewordene Anpassung ans männliche Prinzip, ein ›Fremdversuch‹ war: »Jetzt steht uns [dem Professor und der wieder weiblichen Versuchsperson] *mein* Experiment bevor: Der Versuch, zu lieben. Der übrigens auch zu phantastischen Erfindungen führt. Zur Erfindung dessen, den man lieben kann.« Männer, die ›liebenswert‹ sind, existieren realiter noch nicht. Sie müssen erfunden werden, so wie naturwissenschaftliche Experimente ›erfundene‹ Realitäten schaffen. Produktive, von Frauen realisierte

›Fiktion‹ ist notwendig, um den bornierten Status quo der Geschlechterbeziehungen zu überwinden. Dem häufig genug erfolgreichen Versuch der Männer, Frauen *sich anzuverwandeln* (wofür das Bild der Geschlechtsumwandlung in der Erzählung steht), wird die Verwandlungskraft der Frauen, die Männer ›liebbar‹ machen kann, gegenübergestellt. Das Modell der Science-fiction-Erzählung ermöglicht nicht nur die radikale Diagnose der heillosen gesellschaftlichen Zustände aus der künstlich gesetzten Distanz, sondern läßt auch utopisch vorscheinen, was gesellschaftlich möglich und notwendig ist.
Irmtraud Morgners Verwandlungsgeschichte konnten Leser zuerst an ganz anderer Stelle kennenlernen. Nachdem der Abdruck in der Anthologie »Blitz aus heiterm Himmel« nicht gebilligt worden war, baute sie die Geschichte (wie übrigens auch gleich noch einen ganzen, Mitte der 60er Jahre vom Druck ferngehaltenen Roman, »Rumba auf einen Herbst«) einfach in ihren aufregenden und verwirrenden »Montage-Roman« »Leben und Abenteuer der Trobadora Beatriz nach Zeugnissen ihrer Spielfrau Laura« ein. ›*Einfach*‹ bedeutet dabei freilich eine Untertreibung: *Wie* die Autorin die Valeska-Geschichte mit dem sonstigen Romangeschehen verknüpft und die drei Heldinnen Laura, Trobadora und Valeska aufeinander bezieht, ist eine eigene Untersuchung wert, der ich hier nicht nachgehen kann. – Valeska ist, wie Kirschs Katharina Sprengel und Wolfs Versuchsperson, Naturwissenschaftlerin, der das Experimentieren, das In-die-Zukunft-Denken, der Umgang mit dem Neuen und Ungewöhnlichen geläufig ist. Ihre Lebensgeschichte und ihr Lebenswandel sind Beispiel eines unkonventionellen, rebellischen Umgangs mit den Konventionen, wie man (und Frau) im Sozialismus zu leben und zu lieben habe. Bezieht

man das Romangeschehen mit ein, dann hat Valeska zu Beginn der Erzählhandlung bereits eine Ehe mit einem sensiblen, unautoritären Mann (der sich aber nicht zu dieser Identität zu bekennen wagt) und das Leben in einer nur aus Frauen und Kindern bestehenden Wohngemeinschaft (ein absolutes Unikum, auf den DDR-Alltag projiziert!) hinter sich, und der Romanleser hat auch erfahren, daß ihr lesbische Bedürfnisse nicht fremd sind. Hier nun lernen wir sie kennen in ihrer Liebesbeziehung mit dem Ernährungswissenschaftler Rudolf Uhlenbrook, einem patriarchalischen, rollenfixierten, ja »größenwahnsinnigen« Mann – den sie »in der Liebe« freilich als »schön im utopischen Sinn« erlebt. Als der Wiedereintritt in die Ehe droht (denn nur so ist in der DDR eine gemeinsame Wohnung zu erlangen), erkennt sie, daß »Schnellhilfe« nötig ist: *also ein Wunder.* Wie bei Sarah Kirsch geht es darum, sich die »Kostbarkeit dieser wahrhaftigen Augenblicke nicht vom Geröll eingeschliffener Gewohnheiten verschütten« zu lassen – um die »Freundschaft unter Gleichen«. Allerdings erweitert Irmtraud Morgner diesen Ansatz der Bearbeitung des Motivs um eine entscheidende Dimension, die über Sarah Kirschs Geschichte hinausgreift. Sie läßt Valeska – als Männergestalt mit noch weiblicher Identität, weiblichem Empfindungsvermögen – sexuellen Umgang mit Frauen, vor allem ihrer schon lange vertrauten Freundin Shenja, haben und dabei eine Vielfalt und Vollkommenheit der Empfindungen kennenlernen, die ihr bislang, als Nur-Frau, fremd war. In ihr steht gleichsam wieder das zwiegeschlechtige Wesen in seiner Harmonie auf, von dem Platons »Symposion« erzählte: Die Natur des Menschen ist geheilt. – Doch Morgners Utopie geht noch einen Schritt weiter. Wider Erwarten wird Valeska, der Mann, von ihrem geliebten

Liebhaber Rudolf auch in ihrer männlichen Gestalt akzeptiert und sogar geliebt: »Da erkannten sie, daß sie notfalls die Bilder entbehren konnten, die sie sich voneinander und die andere für sie gemacht hatten. – Da wußten sie, daß sie einander liebten. Persönlich – Wunder über Wunder.« Das *über* das Wunder der biologischen Geschlechtsumwandlung hinausgehende Wunder liegt in der Entdeckung der Konsistenz der persönlichen Liebe, über die zufällige Gestalt hinaus; im Verwirklichenkönnen der »Vermenschlichung des Menschen«. Daß Valeska während des Beischlafs doch wieder die männliche Körperform ablegt, ist dann nur noch ein eher ironisch-augenzwinkerndes Zugeständnis an die Praktikabilität der sexuellen Beziehung. Es hebt die vorher erreichte lustvolle Erkenntnis – die, so Morgner, »einfache Lehre« – von der Haltbarkeit der Liebe jenseits der jeweiligen akzidentiellen Körperlichkeit nicht auf. – Irmtraud Morgner sollte nicht mißverstanden werden: Natürlich ist Valeskas ›Lösung‹ des Identitätskonflikts, indem sie sich aufgrund der Nichtgleichberechtigung von Mann und Frau, auch in der DDR, befindet, keine ›realistische‹, bezogen auf den aktuellen DDR-Alltag. Doch gerade darauf kommt es der Autorin an: Befremden, Irritation zu erzeugen durch eine Art von Fiktion, die die Einbildungs- und Veränderungspotenz *des Lesers* in Gang setzt; die dann die realitätsuntüchtige, nicht pragmatisch-praktikable ›Lösung‹ an der Wirklichkeit mißt und auf realitätstüchtige Lösungen sinnt.

5

Versuchen wir, das Gemeinsame der drei Geschichten zu benennen, vor allem unter dem Aspekt, wo und wie sie gegen den gesellschaftlichen (und übrigens auch ästhetischen) Status quo rebellieren.

Alle drei Geschichten werfen die Frage nach Geschlechterrollen und Rollenbewußtsein in der aktuellen DDR-Gesellschaft auf, lenken – aus der Erfahrung der Autorinnen als Frauen – die Wahrnehmung auf verfestigte, Frauen diskriminierende männliche Verhaltensweisen und Verkehrsformen und üben eine grundsätzliche Kritik an einer Definition der Frau *über* den Mann, an der permanenten Hinordnung auf ihn, wo nicht Unterordnung unter ihn. Das Problem der Emanzipation der Frau im Berufsleben, noch limitierter in der Produktionssphäre im engeren Sinn, spielt dabei keine große Rolle mehr; solche Emanzipation wird als gegeben vorausgesetzt. Es werden Bilder von der Befreiung der Frau zur Frau entworfen, die sich durch die Betonung des Anspruchs auf individuelles Glück und eine grundsätzliche Offenheit der Konzeption auszeichnen. Weder wird eine Gleichmacherei von Mann und Frau empfohlen, noch wird die bestehende Differenz zwischen den Geschlechtern polarisierend festgeschrieben oder eine strikte Entfernung der Frau vom Mann propagiert, damit sie unentfremdet ihre Identität erwerbe – wie so häufig in der westlichen Frauenliteratur. Vielmehr haben die Autorinnen den Mut, das, was künftig ›männlich‹ oder ›weiblich‹ sein kann, nicht zu fixieren, sondern diverse Möglichkeiten im Stadium des Probedenkens und Probehandelns zu belassen. Sie insistieren selbstbewußt und souverän auf einer Einsicht, die bereits 1861 in der Schrift »Die Hörigkeit der Frau« von John Stuart Mill, Harriet Taylor Mill und Helen Taylor formuliert worden war: »Aufgrund von common sense und der Konstitution des menschlichen Geistes leugne ich, daß irgend jemand etwas über die Natur der beiden Geschlechter weiß oder wissen könne, solange sie nur in ihren gegenwärtigen Beziehungen zueinander gesehen werden. Was als die

weibliche Natur bezeichnet wird, ist eine künstliche Konstruktion – das Ergebnis aufgezwungener Repression in der einen Richtung, unnatürlicher Stimulierung in der anderen. Man kann ohne weiteres behaupten, daß der Charakter keiner anderen abhängigen Klasse durch ihr Verhältnis zu den Herrschenden so sehr seinen natürlichen Anlagen entfremdet wurde.«
Ziel der literarischen Phantasiearbeit ist die Aufhebung der ›Halbmenschen‹ Mann und Frau – nicht etwa der reale Eintausch einer neuen biologischen Geschlechtsidentität, wie die drei Geschichten zeitweise zu suggerieren scheinen. Vielmehr steht die märchenhaft-fiktional oder ›science-fiktional‹ gestaltete Geschlechtsverwandlung nur symbolisch für das Bedürfnis nach qualitativ neuer, erweiterter Selbstverwirklichung und Identität, wie sie der Sozialismus als Versprechen enthält. Kirsch, Wolf und Morgner beziehen sich dabei in einer ganz spezifischen Weise auf die Wirklichkeit – *ihre* Wirklichkeit des ›realen Sozialismus‹. Sie plazieren surreale Vorgänge, wie sie ansonsten aus Märchen, Science Fiction und anderen Spielarten phantastischer Literatur geläufig sind, in einem in vordergründigen Sinn alltäglich-realen Milieu, dem der DDR. Durch dieses Verfahren des Fremdmachens, Historisierens, das – mit Irmtraud Morgners Worten – »das Wundern erleichtern« soll, bringen sie die festgefahrenen Verhältnisse zum Tanzen: diese werden diagnostisch faßbar, kritisierbar, als veränderungswürdige und veränderbare erkennbar. Die voreiligen Schlüsse, ›Lösungen‹ der Geschichten sind in sich so merkwürdig, verharren zum Teil in der Fiktion der realisierten Geschlechtsverwandlung, daß sie vom Leser nicht für bare Münze genommen werden können. Vielmehr muß er sich veranlaßt sehen, selbst eine Lösung für die ›unvollendeten Geschichten‹ zu

entwerfen. Die Literatur greift in ihn ein, ist zumindest im mittelbaren Sinn operativ. Der von Fritz J. Raddatz solcher (und verwandter) Literatur vorgeworfene »Rückzug vor der Realität« findet gerade nicht statt; er kann nur dann behauptet werden, wenn man ein sehr plattes, direktes Verhältnis der Literatur zur Wirklichkeit als ›realistisch‹ unterstellt.

Die drei Autorinnen setzen Versuchsanordnungen in einem halb fiktiven, halb realen gesellschaftlich-historischen Kontext, innerhalb deren sie experimentieren. Irmtraud Morgner spricht vom Schreiben als »experimentellem« (gleichwohl auf Alltag bezogenen) Vorgang. Mit »phantastischer Genauigkeit« – so Christa Wolfs ästhetisches Programm in dem Essay »Lesen und Schreiben«, das für alle drei Autorinnen gilt – dringen sie in noch unerforschte Gegenden vor, reflektieren »Möglichkeiten ..., auf menschliche Weise zu existieren«, und beurteilen »Strukturen menschlichen Zusammenlebens unter dem Gesichtspunkt der Produktivität«. Sie spielen »Experimente ... auf dem Papier« durch, »vor denen die Menschheit steht«. Die Autorinnen unternehmen *soziale Experimente,* in die sie selbst eingeschlossen sind, und werden damit modernen Naturwissenschaftlern ähnlich, deren Aufgabe Werner Heisenberg wie folgt beschrieben hat: Sie müssen »im Geist des Hörenden durch Bild und Gleichnis gewisse Beziehungen hervorrufen, die in die gewollte Richtung weisen, ohne ihn [den Adressaten] durch eindeutige Formulierungen zum Präzisieren eines bestimmten Gedankenganges zwingen zu wollen«. (Auf diese Formulierung hat sich Christa Wolf in ihrem Essay »Lesen und Schreiben« ausdrücklich berufen.) Dabei sollte nicht vergessen werden, daß soziale Experimente, wie die von Kirsch, Wolf und Morgner literarisch veranstalteten, genauso scheitern können wie naturwissenschaftliche. Auch diese Möglichkeit ist allen drei Geschichten immanent.

Damit demonstrieren die Autorinnen eine ästhetische Konzeption, die mit Begriffen wie ›Widerspiegelung‹ oder ›Abbild‹ nicht mehr zu fassen ist. »Lassen wir Spiegel das Ihre tun: Spiegeln. Sie können nichts anderes. Literatur und Wirklichkeit stehen sich nicht gegenüber wie Spiegel und das, was gespiegelt wird. Sie sind ineinander verschmolzen im Bewußtsein des Autors.« Nachahmung, Mimesis ist nicht mehr die Sache solcher Literatur; vielmehr lautet ihr Vorsatz (wie ihn Christa Wolf bereits in »Nachdenken über Christa T.« formuliert hatte): »neue Sinne zu öffnen für den Sinn einer neuen Sache«. Es ist bemerkenswert, daß an anderer Stelle sowohl Christa Wolf als auch Irmtraud Morgner den Wandspruch des Pariser Mai 1968 aufgegriffen haben: »Seid realistisch, verlangt das Unmögliche!« Die Bornierung des wirklichen Lebens wie der Ästhetik aufs gegenwärtig Bestehende wird durchbrochen, weil man – mit Ernst Bloch zu sprechen – »das stärkste Fernrohr« braucht, »das des geschliffenen utopischen Bewußtseins, um gerade die nächste Nähe zu durchdringen«.

6

Daß es sich bei der Frauenliteratur der DDR nicht um eine kurze modische Welle handelt, zeigen die Texte der nächsten Jahre. Sie stammen überwiegend von Autorinnen, die man bislang nicht kannte und die offenbar auch durch Veröffentlichungen wie »Nachdenken über Christa T.«, »Franziska Linkerhand« und »Leben und Abenteuer der Trobadora Beatriz« ermutigt worden waren. Da gab es die Erzählungssammlung »Lauter Leben« von Helga

Schubert (1975), den Roman »Die Unschuldigen« von Charlotte Worgitzky (1976) oder den Prosaband »Wie ich meine Unschuld verlor« (1976) von Christine Wolter, die inzwischen auch einen »Kurzroman« vorgelegt hat, der in der DDR-Ausgabe »Die Hintergrundsperson. Versuche zu lieben« (1979) heißt, in der Version für die Bundesrepublik »Stückweise leben«. 1978 erschienen die Erzählungsbände »Der rote Ballon« von Brigitte Martin und »Meine ungehörigen Träume« von Helga Königsdorf. Für 1980 ist der Band »Schattenriß eines Liebhabers« von Rosemarie Zeplin angekündigt. In allen diesen Büchern geht es um Fragen des Allein- oder Miteinanderlebens, um die Vereinbarkeit von Familienleben, Beruf und individueller Emanzipation. Die Autorinnen sind in der Regel zwischen 35 und 45 Jahre alt und wissen, wovon sie sprechen: Es sind *Erfahrungsbücher*.

Die wichtigste Veröffentlichung auf diesem Gebiet seit 1975 war zweifellos der von Maxie Wander edierte Band »Guten Morgen, du Schöne. Frauen in der DDR. Protokolle« (1977; 1978 bei Luchterhand erschienen). Schon 1973 hatte Sarah Kirsch einen vergleichbaren Band veröffentlicht: »Die Pantherfrau. 5 Erzählungen aus dem Kassetten-Recorder«. Doch es ist eindrucksvoll, wie die Frauen aus der DDR inzwischen sprechen gelernt haben. Souverän und sprachmächtig äußern sie sich in Gesprächen mit Maxie Wander über ihre Lebensgeschichte, familiale Sozialisation (zumeist schon in der DDR-Ära), neue Familie, Arbeit, Sexualität – aber auch über unerfüllte Sehnsüchte und Hoffnungen. Sprechend erforschen sie unerforschtes Gebiet, entwerfen, indem sie das vergangene, gelebte Leben bewußt machen, neue Möglichkeiten des Zusammen- und Alleinlebens. Kaum ein anderes Buch sagt soviel aus über die DDR wie Maxie Wanders Protokollband, kaum ein anderes macht auch soviel Mut wie dieses, weil in ihm Frauen, Menschen zu Wort kommen, die Anpassung verweigern und mit dem Anspruch auf Selbstbestimmung im Alltag Ernst machen.

7

In der DDR wird an einer (wie auch immer problematischen) Übergangsgesellschaft zwischen Kapitalismus und Sozialismus gebaut, und sie setzt neuartige, überraschende Reflexionen und Phantasien über die Geschlechterbeziehung in Gang, wie zu lesen war. Die Bundesrepublik Deutschland hingegen ist ein ungebrochen bürgerlich verfaßtes Land, in dem nach kapitalistischer Art gewirtschaftet wird. Dementsprechend dominiert in ihr auch ungebrochen der männliche Chauvinismus. Sicherlich, die Frauenfeindlichkeit der ›formierten Gesellschaft‹ ist ideologisch weniger offensichtlich als z. B. um die Jahrhundertwende (wer wagte noch vom »physiologischen Schwachsinn des Weibes« zu reden, wie im Jahre 1903 der Arzt Dr. P. J. Möbius!), ihre Brutalität ist besser verbrämt als damals. Nichtsdestoweniger ist sie strukturell ungebrochen in Kraft. Diesem gesellschaftlichen Zustand antwortet eine Frauenbewegung, die durch ihre tiefgreifende organisatorische, ideologische und politische Widersprüchlichkeit gekennzeichnet ist.
Da gibt es einmal eine *traditionalistische Linke*. Sie fundiert ihre Frauenpolitik selbstverständlich nach wie vor auf Analysen (oder genauer: Zitate) der Klassiker des Marxismus. Für sie gilt ungebrochen, und das mit Recht, daß die Frauenfrage im Kapitalismus unlösbar ist. Freilich fixiert man sich dabei auf die ökonomischen Machtverhältnisse und ignoriert allzusehr die überkommenen Verkehrsformen und Verhaltensweisen. Konkret äußert sich

das etwa so, daß in der »UZ« (Zeitung der DKP) die Schlagzeile »Frauen fest an der Seite der Arbeiterklasse« stehen kann – als ob die Arbeiterklasse (das wäre doch die Logik) nur aus Männern bestünde. Aktuelle Schwierigkeiten der Frauen werden mit Kernsätzen aus August Bebels »Die Frau und der Sozialismus« beantwortet, der gewiß einige sehr fortschrittliche Überzeugungen hatte, aber unter anderm auch prüde Angriffe gegen die »Schamlosigkeit« erotisch emanzipierter Frauen losließ. Folgerichtig ist die naserümpfende bis gehässige, ja diffamierende Haltung gegenüber dem neuen Feminismus. Frauen werden einerseits als biologische Gruppe für sich gesetzt, andrerseits wird die Frauenfrage bis zu ihrem Verschwinden in die soziale Frage integriert. Zwischen beiden Haltungen klafft eine Lücke, die weder theoretisch noch praktisch-politisch (und übrigens auch nicht literarisch) gefüllt wird.
Der traditionalistischen Linken steht unverbunden eine *militante Frauenbewegung* gegenüber, die gleichfalls (so will jedenfalls mir als Mann scheinen) eine merkwürdige Selbstbescheidung vorgenommen hat nach dem Motto: »Gesellschaft umkrempeln, aber nicht die ganze, sondern die andere Hälfte, das schwache Geschlecht« (so kritisch Karin Reschke im »Kursbuch« 47). Ihr Kampf gilt zentral der Abschaffung der biologischen Familie als Hauptinstitution des Patriarchats. Richtig wird von der Emanzipation der Frau zur Frau (und nicht zum Mann) ausgegangen, aber sie mündet ein in eine schlichte Zweiteilung der Welt nach den Prinzipien ›männlich‹ und ›weiblich‹, die eine Überwindung der patriarchalischen Welt durch *gemeinsame* Bemühungen beider Geschlechter gar nicht mehr als wünschenswert erscheinen läßt. ›Das Weibliche‹ erscheint als ein außerhalb von Geschichte und Gesell-

schaft existierender naturhafter, herrschaftsfreier Zustand, der von Frauen (und nur von ihnen) wiedererlangt werden könne vermittels der ›großen Verweigerung‹ gegenüber Geschichte, Technik, Zivilisation (als Produktionen der Männerwelt) schlechthin. Schon erreichtes materialistisches Geschichtsverständnis wird ersetzt durch ahistorisches Anthropologisieren. Feministisches Argumentieren begibt sich in die Tradition des deutschen Irrationalismus unter dem Signum »Flucht aus der Gesellschaft, Rückzug auf ›Mutter Natur‹ und die Vorstellung eines theorielosen, unmittelbaren Wissens« (Marlis Gerhardt). Sämtliche Entfremdungserscheinungen kapitalistischer Rationalität werden den Männern angelastet, wodurch die Suche nach im Geschichtsprozeß liegenden Gesetzmäßigkeiten in den Hintergrund tritt. Herausragendes Beispiel dieser Tendenz der deutschen Frauenbewegung ist Verena Stefans Buch »Häutungen«. Es beurteilt nicht nur die realen Individuen und Institutionen unserer Gesellschaft als patriarchalisch, sondern auch die vorhandene Sprache und das in ihr angesiedelte Symbolsystem. Ihm wird der Versuch entgegengestellt, eine eigene, spezifisch weibliche Sprache und Ästhetik zu entwerfen, die gegen die der ›männlichen‹ Sprache unterstellten Hierarchisierungen, Disziplinierungen und Abstraktionen Front macht. Am Ende von Verena Stefans Buch ist der Anspruch auf nichtrepressive Sexualität zwischen Mann und Frau vollständig aufgegeben; nur noch die gleichgeschlechtliche Kommunikation erscheint als sinnvoll und darstellenswert. Der Austritt der Frau aus der gemeinsamen Geschichte der Geschlechter, ihre Regression in die Natur, gestaltet in einer manichäischen Bildwelt nach dem Motto ›weiblich = gut, männlich = böse‹, ist zum Programm erhoben.

Die beschriebene Tendenz der Frauenbewegung ist allemal im Recht gegenüber einer gleichgültigen, zynischen Männerwelt. Im Recht ist sie auch dort, wo sie sich gegen die traditionalistische Linke wendet, die die Frauenfrage als ›Nebenwiderspruch‹ abtut. Für überzeugender und praktisch fruchtbarer erlaube ich mir (natürlich, als Mann) Initiativen zu halten, die gleichzeitig auf eine ökonomisch-rechtliche Lageverbesserung der Frau *und* ihre individuelle Emanzipation zielen und dabei auch die Notwendigkeit der nicht davon zu lösenden Emanzipation des Mannes anerkennen. Mir scheint, daß die hier versammelten drei Geschichten aus der DDR mit ihrer »einfachen Lehre« in die gleiche Richtung zielen: auf die »Vermenschlichung des Menschen«, wie es in Irmtraud Morgners Geschichte heißt. Darum sind sie uns, Frauen *und* Männern, nahe, deshalb können wir sie gebrauchen.

Wolfgang Emmerich

Literatur

Annemarie Auer: Mythen und Möglichkeiten. In: Edith Anderson (Hrsg.): Blitz aus heiterm Himmel. Rostock 1975, S. 237–284.

Ilse Braatz: Zu zweit allein – oder mehr? Liebe und Gesellschaft in der modernen Literatur. Münster 1980.

Helen Fehervary: Die erzählerische Kolonisierung des weiblichen Schweigens. Frau und Arbeit in der DDR-Literatur. In: R. Grimm/J. Hermand (Hrsg.): Arbeit als Thema in der deutschen Literatur. Königstein 1979, S. 171–195.

Patricia Herminghouse: Wunschbild, Vorbild oder Porträt? Zur Darstellung der Frau im Roman der DDR. In: P. U. Hohendahl/P. Herminghouse (Hrsg.): Literatur und Literaturtheorie in der DDR. Frankfurt 1976, S. 281–334.

Kursbuch Nr. 47 (1977): Frauen

Jutta Menschik/Evelyn Leopold: Gretchens rote Schwestern. Frauen in der DDR. Frankfurt/M. 1974.

Robert von Ranke-Graves: Griechische Mythologie. Quellen und Deutung. 2 Bde. Reinbek 1960.

Inhalt